# A ESPIÃ

Outros títulos de Paulo Coelho:

*Adultério*

*Aleph*

*O alquimista*

*Brida*

*A bruxa de Portobello*

*O demônio e a srta. Prym*

*O diário de um mago*

*O dom supremo* (com Henry Drummond)

*Hippie*

*Maktub*

*Manual do guerreiro da luz*

*Manuscrito encontrado em Accra*

*O monte cinco*

*Na margem do rio Piedra eu sentei e chorei*

*Onze minutos*

*Ser como o rio que flui*

*O vencedor está só*

*As Valkírias*

*Veronika decide morrer*

*O Zahir*

"Ó Maria concebida sem pecado, rogai por nós que recorremos a Vós." Amém.

# A ESPIÃ

paralela

Copyright © 2016 by Paulo Coelho
http://paulocoelhoblog.com

Publicado mediante acordo com Sant Jordi Asociados Agencia Literaria SLU, Barcelona, Espanha.

Todos os direitos reservados.

A Editora Paralela é uma divisão da Editora Schwarcz S.A.

*Grafia atualizada segundo o Acordo Ortográfico da Língua Portuguesa de 1990, que entrou em vigor no Brasil em 2009.*

CAPA Alceu Chierosin Nunes, colorização de Olga Shirnina

ILUSTRAÇÃO DE CAPA Shutterstock

CRÉDITOS DAS IMAGENS pp. 13, 23, 59 e 135: Collection Fries Museum, Leeuwarden; p. 171: Detalhe do jornal *New York Times*, 1915; p. 177: The National Archives of the UK, ref. KV2/1

PREPARAÇÃO Silvia Massimini Felix

REVISÃO Valquíria Della Pozza e Arlete Sousa

Dados Internacionais de Catalogação na Publicação (CIP)
(Câmara Brasileira do Livro, SP, Brasil)

Coelho, Paulo
 A espiã / Paulo Coelho. — 1ª ed. — São Paulo : Paralela, 2023.

 ISBN 978-85-8439-323-7

 1. Ficção brasileira I. Título.

23-149585                                   CDD-B869.3

Índice para catálogo sistemático:
1. Ficção : Literatura brasileira B869.3

Eliane de Freitas Leite – Bibliotecária – CRB 8/8415

Todos os direitos desta edição reservados à
EDITORA SCHWARCZ S.A.
Rua Bandeira Paulista, 702, cj. 32
04532-002 — São Paulo — SP
Telefone: (11) 3707-3500
www.editoraparalela.com.br
atendimentoaoleitor@editoraparalela.com.br
facebook.com/editoraparalela
instagram.com/editoraparalela
twitter.com/editoraparalela

Quando, pois, vais com o teu adversário ao magistrado, procura livrar-te dele no caminho; para que não suceda que te conduza ao juiz, e o juiz te entregue ao meirinho, e o meirinho te encerre na prisão.

Digo-te que não sairás dali enquanto não pagares o derradeiro ceitil.

Lucas 12, 58-9

# A ESPIÃ

*Baseado em fatos reais*

# PRÓLOGO

PARIS, 15 DE OUTUBRO DE 1917 — *Anton Fisherman com Henry Wales, para o International News Service*

Pouco antes das cinco da manhã, um grupo de dezoito homens — em sua maior parte oficiais do exército francês — subiu até o segundo andar de Saint-Lazare, a prisão feminina localizada em Paris. Guiados por um carcereiro que carregava uma tocha para acender as lâmpadas, pararam em frente à cela 12. Freiras eram encarregadas de tomar conta do local. Irmã Leonide abriu a porta e pediu que todos aguardassem do lado de fora enquanto entrava de novo, riscava um fósforo na parede e acendia a lâmpada em seu interior. Em seguida, chamou uma das outras irmãs para ajudá-la.

Com muito carinho e cuidado, irmã Leonide colocou seu braço em volta do corpo adormecido que custou a acordar — como se não estivesse muito interessada em nada. Quando despertou, segundo o testemunho das freiras, parecia sair de um sono tranquilo. Continuou serena quando soube que havia sido negado o pedido de clemência que fizera dias antes ao presidente da República. Impossível saber se sentiu tristeza ou alívio porque tudo chegava ao final.

Ao sinal de irmã Leonide, padre Arbaux entrou em sua cela junto com o capitão Bouchardon e o advogado, dr. Clunet. A prisioneira entregou a este último a longa carta testamento que escrevera durante a semana inteira, além de dois envelopes pardos com recortes.

Vestiu meias de seda negras — algo que parece um tanto grotesco em tais circunstâncias —, calçou sapatos altos adornados por laços de seda e levantou-se da cama, retirando de um cabide, colocado no canto de sua cela, um casaco de pele que ia até os pés, revestido nas mangas e no colarinho por outro tipo de pele de animal, possivelmente raposa. Vestiu-o por cima do pesado quimono de seda com o qual havia dormido.

Seus cabelos negros estavam desalinhados; ela os penteou com cuidado, prendendo-os na nuca. Por cima, pôs um chapéu de feltro e o amarrou no pescoço com uma fita de seda para que o vento não o carregasse quando estivesse no lugar descampado para onde estava sendo conduzida.

Lentamente, abaixou-se para pegar um par de luvas negras de couro. Em seguida, com indiferença, virou-se para os recém-chegados e disse em voz calma:

— Estou pronta.

Todos deixaram a cela da prisão de Saint-Lazare e seguiram em direção a um carro que já os esperava com os motores ligados para levá-los até o lugar onde se encontrava o pelotão de fuzilamento.

O carro saiu em velocidade acima da permitida cruzando as ruas da cidade, ainda adormecida, em direção ao quartel de Vincennes, lugar onde antes havia um forte que fora destruído pelos alemães em 1870. Vinte minutos depois, o automóvel parou e a comitiva desceu. Mata Hari foi a última a sair.

Os soldados já estavam alinhados para a execução. Doze Zouaves formavam o pelotão de fuzilamento. No final do grupo estava um oficial com a espada desembainhada.

Enquanto padre Arbaux conversava com a mulher condenada, cercado por duas freiras, um tenente francês se aproximou e estendeu um pano branco para uma das irmãs, dizendo:

— Por favor, vendem seus olhos.

— Sou obrigada a usar isso? — perguntou Mata Hari enquanto olhava o pano.

O advogado Clunet olhou para o tenente, com ar interrogativo.

— Apenas se a madame preferir; não é obrigatório — respondeu.

Mata Hari não foi amarrada nem vendada; ficou olhando seus executores com ar de aparente tranquilidade enquanto o padre, as freiras e o advogado se afastavam dela.

O comandante do pelotão de fuzilamento, que vigiava atentamente seus homens para evitar que conferissem os rifles — já que é praxe sempre colocar um cartucho de festim em um deles, de modo a fazer com que todos possam clamar que não deram o tiro mortal —, pareceu começar a relaxar. Em breve tudo estaria terminado.

— Preparar!

Os doze assumiram uma postura rígida e apoiaram os fuzis no ombro.

Ela não moveu um músculo.

O oficial dirigiu-se para um lugar onde todos os soldados pudessem vê-lo e levantou a espada.

— Apontar!

A mulher diante deles continuou impassível, sem demonstrar medo.

A espada baixou, cortando o ar em um movimento de arco.

— Fogo!

O sol, que a essa altura já tinha se levantado no horizonte, iluminou as chamas e a pouca fumaça que saiu de cada um dos rifles, enquanto a rajada de tiros era disparada com estrondo. Logo em seguida, em um movimento cadenciado, os soldados voltaram a colocar as armas no chão.

Mata Hari ainda ficou uma fração de segundos em pé. Não morreu como vemos em filmes quando as pessoas são baleadas. Não caiu nem para a frente nem para trás e não moveu os braços nem para cima ou para os lados. Pareceu desmaiar sobre si mesma, mantendo sempre a cabeça erguida, os olhos ainda abertos; um dos soldados desmaiou.

Seus joelhos fraquejaram e o corpo tombou para o lado direito, ficando as pernas ainda dobradas cobertas pelo casaco de pele. E ali ficou, imóvel, com o rosto voltado para os céus.

Um terceiro oficial — acompanhado de um tenente — tirou o revólver que trazia num coldre ajustado ao peito e caminhou em direção ao corpo inerte. Dobrou-se, colocou o cano na têmpora da espiã, tomando o cuidado de não tocar sua pele. Em seguida, puxou o gatilho, e a bala atravessou seu cérebro. Voltou-se então para todos que estavam ali e disse em voz solene:

— Mata Hari está morta.

# PARTE I

ESTIMADO DR. CLUNET,

Não sei o que irá acontecer no final desta semana. Sempre fui uma mulher otimista, mas o tempo está me deixando amarga, solitária e triste. Se tudo correr como espero, o senhor jamais receberá esta carta. Terei sido perdoada. Afinal de contas, minha vida foi feita cultivando amigos influentes. Eu a guardarei para que, um dia, minha única filha possa lê-la para descobrir quem foi sua mãe.

Mas, se estiver errada, não tenho muita esperança de que estas páginas, que consumiram minha última semana de vida na face da Terra, sejam guardadas. Sempre fui uma mulher realista e sei que, para um advogado, quando um caso está encerrado, ele parte para o próximo sem olhar para trás.

Imagino o que acontecerá agora; o senhor é um homem ocupadíssimo, que ganhou notoriedade defendendo uma criminosa de guerra. Terá muita gente à sua porta implorando por seus serviços; mesmo derrotado, conseguiu uma imensa publicidade. Encontrará jornalistas interessados em conhecer sua versão dos fatos, frequentará os restaurantes mais caros da cidade e será olhado com respeito e inveja pelos seus confrades. Sabe que nunca houve uma prova concreta contra mim — apenas manipulação de documentos —, mas nunca poderá admitir em público que deixou morrer uma inocente.

Inocente? Talvez essa não seja a palavra exata. Nunca fui inocente, desde que pisei nesta cidade que tanto amo. Achei que podia manipular os que queriam os segredos de Estado, achei que alemães, franceses, ingleses, espanhóis jamais resistiriam a quem eu sou — e terminei eu sendo a manipulada. Escapei de crimes que cometi, o maior deles o de ser uma mulher emancipada e independente em um mundo governado por homens. Fui condenada por espionagem quando tudo que consegui de concreto foram fofocas nos salões da alta sociedade.

Sim, transformei essas fofocas em "segredos" porque queria dinheiro e poder. Mas todos os que hoje me acusam sabiam que eu não estava contando nada de novo.

Pena que ninguém jamais saberá disso. Estes envelopes encontrarão seu lugar certo: um arquivo empoeirado, cheio de outros processos, de onde talvez saiam apenas quando seu sucessor, ou o sucessor do seu sucessor, resolver abrir espaço e jogar fora os casos antigos.

A essa altura meu nome já terá sido esquecido; mas não é para ser lembrada que escrevo. O que tento é entender a mim mesma. Por quê? Como é que uma mulher que durante tantos anos conseguiu tudo o que queria pode ser condenada à morte por tão pouco?

Neste momento, olho para minha vida e entendo que a memória é um rio que corre sempre para trás.

Memórias são cheias de caprichos, imagens de coisas que vivemos e que ainda podem nos sufocar com um pequeno detalhe, um ruído insignificante. Um cheiro de pão sendo feito sobe até a minha cela e me relembra dos dias em que eu caminhava livre pelos cafés; isso me destrói mais do que o medo da morte e da solidão em que me encontro.

Memórias trazem com elas um demônio chamado Melancolia; oh, demônio cruel do qual não consigo escapar. Ouvir uma prisioneira cantando, receber algumas poucas cartas de admiradores que nunca me trouxeram rosas e jasmins, lembrar de uma cena em determinada cidade, que na hora me passou completamente despercebida e que agora é tudo que me resta deste ou daquele país que visitei.

As memórias sempre vencem; e, com elas, chegam demônios ainda mais pavorosos que a Melancolia: os remorsos; meus únicos companheiros nesta cela, exceto quando as irmãs resolvem entrar e conversar um pouco. Não falam sobre Deus nem me condenam por aquilo que a sociedade chama de "pecados da carne". Geralmente dizem uma ou duas palavras e de minha boca jorram memórias, como se eu quisesse voltar no tempo mergulhando neste rio que corre para trás.

Uma delas me perguntou:

— Se Deus lhe desse outra chance, faria tudo diferente?

Respondi que sim, mas na verdade não sei. Tudo que sei é que meu coração hoje é uma cidade fantasma, povoado por paixões, entusiasmo, solidão, vergonha, orgulho, traição, tristeza. E não consigo me desvencilhar de nada disso, mesmo quando sinto pena de mim mesma e choro em silêncio.

Sou uma mulher que nasceu na época errada e nada poderá corrigir isso. Não sei se o futuro se lembrará de mim, mas, caso isso ocorra, que jamais me vejam como uma vítima, mas sim como alguém que deu passos corajosos e pagou sem medo o preço que precisava pagar.

EM UMA DE MINHAS VISITAS A VIENA, conheci um senhor que estava fazendo muito sucesso entre homens e mulheres na Áustria. Chamava-se Freud — não me recordo de seu primeiro nome —, e as pessoas o adoravam porque ele havia trazido de volta a possibilidade de sermos todos inocentes; nossas faltas, na verdade, pertenciam aos nossos pais.

Tento agora ver o que eles fizeram de errado, mas não posso culpar minha família. Adam Zelle e Antje me deram tudo o que o dinheiro podia comprar. Tinham uma chapelaria, investiram em petróleo antes que as pessoas soubessem da importância disso, me permitiram estudar em uma escola particular, aprender dança, frequentar aulas de equitação. Quando comecei a ser acusada de "mulher de vida fácil", meu pai escreveu um livro em minha defesa — algo que não devia ter feito, porque eu estava perfeitamente à vontade naquilo que fazia e seu texto fez apenas chamar mais atenção para as acusações de que eu era prostituta e mentirosa.

Sim, eu era uma prostituta — se querem entender por isso alguém que recebe favores e joias em troca de carinho e prazer. Sim, eu era uma mentirosa, mas tão compulsiva e tão descontrolada que, muitas vezes, esquecia o que tinha dito e precisava gastar uma imensa energia mental para consertar meus tropeços.

Não posso culpar meus pais por nada, apenas por terem feito com que eu nascesse na cidade errada, Leeuwarden, de que a maioria dos meus conterrâneos holandeses nem sequer tinha ouvido falar, onde absolutamente nada acontecia e todos os dias eram iguais aos outros. Já na adolescência aprendi que era uma mulher bonita, porque minhas amigas costumavam me imitar.

Em 1889, quando a fortuna de minha família mudou — Adam foi à falência e Antje adoeceu, morrendo dois anos depois —, eles não quiseram que eu experimentasse o que estavam passando e me enviaram para uma escola em outra cidade, Leiden, firmes no seu objetivo de que eu precisava ter a mais refinada educação e treinar para ser professora de jardim de infância, enquanto aguardava a chegada de um marido, do homem que iria encarregar-se de mim. No dia de minha partida, minha mãe me chamou e me deu um pacote de sementes:

— Leve isso com você, Margaretha.

Margaretha — Margaretha Zelle — era o meu nome, que eu simplesmente detestava. Havia um sem-número de meninas que se chamavam assim por causa de uma famosa e respeitável atriz.

Perguntei para que servia aquilo.

— São sementes de girassol. Entretanto, mais do que isso, elas são algo que você precisa aprender; elas serão sempre girassóis, mesmo que no momento você não possa distingui-las de outras flores. Por mais que queiram, jamais poderão transformá-las em rosas ou tulipas, o símbolo de nosso país. Se quiserem negar a própria existência, terminarão passando uma vida amarga e morrendo.

— Portanto, aprenda a seguir seu destino com alegria, seja ele qual for. Enquanto crescem, as flores mostram sua beleza e são apreciadas por todos; em seguida, morrem e deixam suas sementes para que outros continuem o trabalho de Deus.

Ela guardou as sementes em um saquinho que, há dias, eu a tinha visto tecer com todo cuidado, apesar da sua doença.

— As flores nos ensinam que nada é permanente; nem a beleza, nem o fato de murcharem, porque darão novas sementes. Lembre-se disso quando sentir alegria, dor ou tristeza. Tudo passa, envelhece, morre e renasce.

Por quantas tempestades eu precisaria passar até entender isso? Entretanto, naquele momento, suas palavras me soaram vazias; eu estava impaciente para partir daquela cidade sufocante, com seus dias e noites iguais. Hoje, enquanto escrevo isso, entendo que minha mãe estava também falando de si mesma.

— Mesmo as árvores mais altas crescem de sementes pequeninas como essas. Lembre-se disso e não procure apressar o tempo.

Ela me deu um beijo de despedida, e meu pai me levou até a estação de trem. Quase não conversamos durante o caminho.

QUASE TODOS OS HOMENS QUE CONHECI me deram alegrias, joias, um lugar na sociedade, e nunca me arrependi de tê-los conhecido — exceto o primeiro, o diretor da escola que me violentou quando eu tinha dezesseis anos.

Ele me chamou em seu gabinete, trancou a porta, colocou a mão entre minhas pernas e começou a se masturbar. Eu primeiro procurei escapar dizendo, gentilmente, que não era o momento e a hora, mas ele não dizia nada. Afastou alguns papéis de sua mesa, colocou-me de bruços e penetrou-me de uma vez só, como se estivesse com medo de alguma coisa, temendo que alguém pudesse entrar na sala e se deparar com aquilo.

Minha mãe me ensinara, em uma conversa cheia de metáforas, que "intimidades" com um homem só devem acontecer quando existe amor e quando este amor perdurar pelo resto da vida. Eu saí dali confusa e assustada, resolvida a não contar a ninguém o que acontecera, até que uma das meninas tocou no assunto quando conversávamos em grupo. Pelo que eu soube, isso já tinha ocorrido com duas delas, mas com quem poderíamos nos queixar? Corríamos o risco de ser expulsas da escola, voltar para casa sem poder explicar o que aconteceu, restando-nos ficar caladas. Meu consolo foi saber que eu não era a única. Mais tarde, quando fiquei famosa em Paris por causa de minhas atuações como bailarina, as meninas contaram a outras e, em pouco tempo, Leiden inteira sabia o que acontecera. O diretor já estava aposentado e ninguém ousava tocar no assunto com ele. Muito pelo contrário! Alguns até o invejavam por ter sido o primeiro homem da grande diva da época.

A partir daquele momento comecei a associar sexo com algo mecânico e que nada tinha a ver com amor.

Mas Leiden era ainda pior que Leeuwarden; tinha a famosa escola de professoras de jardim de infância, uma floresta que ia dar em uma estrada, um bando de pessoas que nada tinha que fazer além de ficar tomando conta da vida dos outros e mais nada. Certo dia, para matar o tédio, comecei a ler os anúncios classificados do jornal de uma cidade próxima. E ali estava:

*Rudolf MacLeod, oficial do exército holandês, de descendência escocesa, atualmente servindo na Indonésia, procura jovem noiva para casar-se e morar no exterior.*

Ali estava minha salvação! Oficial. Indonésia. Mares estranhos e mundos exóticos. Bastava daquela Holanda conservadora, calvinista, cheia de preconceitos e tédio. Respondi ao anúncio anexando uma foto minha, a melhor e mais sensual que tinha. Mal sabia que a ideia tinha sido uma brincadeira de um amigo do tal capitão e que minha carta seria a última a chegar, de um total de dezesseis recebidas.

Ele veio ao meu encontro como se estivesse indo para a guerra: uniforme completo, com uma espada pendente à esquerda e bigodes longos, cheios de brilhantina, que pareciam esconder um pouco sua feiura e sua falta de modos.

Em nosso primeiro encontro, conversamos um pouco sobre assuntos nada importantes. Rezei para que voltasse e minhas preces foram atendidas: uma semana depois lá estava ele de novo, para inveja de minhas amigas e desespero do diretor da escola, que, possivelmente, ainda sonhava com outro dia como aquele. Notei que cheirava a álcool, mas não dei muita importância, atribuindo isso ao fato de que devia estar nervoso diante de uma jovem que, segundo todas as minhas amigas, era a mais bela da classe.

No terceiro e último encontro, ele me pediu em casamento. Indonésia. Capitão do exército. Viagens para longe. O que mais uma jovem pode querer da vida?

— Vai casar com um homem vinte e um anos mais velho do que você? Ele sabe que você não é mais virgem? — perguntou-me uma das meninas que tivera a mesma experiência com o diretor da escola.

Não respondi. Voltei para casa, ele pediu respeitosamente minha mão, minha família conseguiu um empréstimo com os vizinhos para o enxoval e nos casamos no dia 11 de julho de 1895, três meses depois de eu ter lido o anúncio.

MUDAR E MUDAR PARA MELHOR são duas coisas completamente diferentes. Não fosse pela dança e por Andreas, meus anos na Indonésia teriam sido um pesadelo sem fim. E o pior pesadelo é passar de novo por tudo isso. O marido que vivia distante e sempre cercado de mulheres, a impossibilidade de simplesmente fugir e voltar para casa, a solidão que me obrigava a passar meses dentro de casa porque não falava a língua, além de ser constantemente vigiada pelos outros oficiais.

Aquilo que deveria ser uma alegria para qualquer mulher — o nascimento de seus filhos — tornou-se um pesadelo para mim. Quando ultrapassei a dor do primeiro parto, minha vida encheu-se de sentido ao tocar pela primeira vez o minúsculo corpo de minha filha. Rudolf melhorou seu comportamento por alguns meses, mas logo voltou àquilo de que mais gostava: suas amantes locais. Segundo ele, nenhuma europeia estava em condição de competir com uma mulher asiática, para quem o sexo era como uma dança. Dizia-me isso sem o menor pudor, talvez porque estivesse bêbado, talvez porque quisesse deliberadamente me humilhar. Andreas me contou que, certa noite, quando estavam os dois em uma expedição sem sentido, indo do nada para lugar nenhum, ele teria dito em um momento de franqueza alcoólica:

— Margaretha me dá medo. Já reparou como todos os outros oficiais a olham? Ela pode me deixar de uma hora para a outra.

E, dentro dessa lógica doentia que transforma em monstros os homens que têm medo de perder alguém, ele se tornava cada vez pior. Chamava-me de prostituta porque não era virgem quando o encontrei. Queria saber detalhes de cada homem que — em sua imaginação — eu tivera um dia. Quando, aos prantos, eu contava a história do diretor em seu gabinete, algumas vezes ele me espancava dizendo que eu estava mentindo, outras vezes se masturbava pedindo mais detalhes. Como tudo não tinha passado de um pesadelo para mim, eu era obrigada a inventar esses detalhes, sem entender direito por que fazia isso.

Chegou ao ponto de mandar uma empregada comigo para comprar aquilo que eu julgasse mais parecido com o uniforme usado na escola onde me conheceu. Quando estava possuído por algum demônio que eu desconhecia, mandava-me vesti-lo; seu prazer preferido estava em repetir a cena do estupro: deitava-me sobre a mesa e me penetrava com violência enquanto gritava, para que toda a criadagem pudesse ouvir, dando a entender que eu devia adorar aquilo.

Às vezes, eu devia me comportar como a boa menina que deve resistir, enquanto ele me estuprava; outras vezes, me obrigava a gritar pedindo que fosse mais violento, porque eu era uma prostituta e gostava daquilo. Pouco a pouco fui perdendo a noção de quem eu era. Passava os dias cuidando de minha filha, andando pela casa com ar displicentemente nobre, escondendo as escoriações com excesso de maquiagem, mas sabendo que eu não estava enganando ninguém, absolutamente ninguém.

Fiquei grávida de novo, tive alguns dias de imensa felicidade cuidando de meu filho, mas ele logo foi envenenado por uma de suas babás, que nem sequer teve que dar explicações sobre este ato; outros empregados a mataram no mesmo dia em que o bebê apareceu morto. Por fim, a maioria disse ter sido uma vingança mais do que justa, pois a criada era constantemente espancada, estuprada e explorada com horas intermináveis de trabalho.

AGORA EU TINHA APENAS MINHA FILHA, uma casa que vivia vazia, um marido que não me levava a lugar nenhum com medo de ser traído e uma cidade cuja beleza era tão grande que chegava a ser opressiva; estava no paraíso, vivendo meu inferno pessoal.

Até que, um dia, tudo mudou: o comandante do regimento mandou convidar os oficiais e suas esposas para uma apresentação de dança local, que seria feita em homenagem a um dos governantes da ilha. Rudolf não podia dizer *não* a uma autoridade superior. Pediu que eu fosse comprar uma roupa sensual e cara. Entendo a palavra "cara", já que ele falava mais de suas posses do que dos meus dotes pessoais. Mas se — como soube mais tarde — tinha tanto medo de mim, por que iria querer que eu fosse vestida de maneira sensual?

Quando chegamos ao local do evento, as mulheres me olhavam com inveja, os homens, com desejo, e notei que aquilo excitava Rudolf. Pelo visto, aquela noite terminaria muito mal, comigo sendo obrigada a descrever o que "tinha imaginado fazer" com cada um daqueles oficiais, enquanto ele me penetrava e me batia.

Precisava proteger de qualquer modo a única coisa que tinha: a mim mesma. E a única maneira que encontrei foi manter uma conversa interminável com um oficial que eu já conhecia chamado Andreas, cuja mulher me olhava com terror e espanto enquanto mantinha sempre cheia a taça de meu marido, esperando que ele caísse de tanto beber.

Gostaria de terminar de escrever sobre Java neste minuto; quando o passado traz uma memória capaz de abrir um ferimento, todas as outras chagas aparecem repentinamente, fazendo com que a alma sangre mais profundamente, até que você se ajoelhe e chore. Mas não posso interromper essa parte sem tocar nas três coisas que mudariam minha vida: minha decisão, a dança a que assistimos e Andreas.

Minha decisão: eu não podia mais acumular problemas e viver além do limite de sofrimento que qualquer ser humano consegue aguentar.

Enquanto pensava nisso, o grupo que se preparava para dançar para o governante local foi entrando em cena, em um total de nove pessoas. Em vez do ritmo frenético, alegre e expressivo que costumava ver em minhas poucas visitas aos teatros da cidade, tudo parecia acontecer em câmera lenta, o que me fez morrer de tédio no início, logo sendo tomada por uma espécie de transe religioso à medida que os bailarinos se deixavam levar pela música e assumiam posturas que eu julgava praticamente impossíveis. Em uma delas, o corpo dobrava para a frente e para trás, formando um "S" extremamente doloroso; e assim ficavam até que saíam da imobilidade de maneira súbita, como se fossem leopardos prontos para atacar de surpresa.

Todos estavam pintados de azul, vestidos com sarongue, traje típico local, e levavam no peito uma espécie de fita de seda que ressaltava os músculos dos homens e cobria os seios das mulheres. Estas, por sua vez, usavam tiaras artesanais feitas com pedrarias. A doçura era às vezes substituída por imitação de batalhas, em que fitas de seda serviam como espadas imaginárias.

O meu transe aumentava cada vez mais. Pela primeira vez entendia que Rudolf, Holanda, filho assassinado, tudo isso era parte de um mundo que morria e renascia, como as sementes que minha mãe me dera. Olhei para o céu e vi as estrelas e as folhas de palmeira; estava decidida a me deixar levar para outra dimensão e outro espaço quando a voz de Andreas me interrompeu:

— Está entendendo tudo?

Imaginava que sim, porque meu coração havia parado de sangrar e agora contemplava a beleza em sua forma mais pura. Mas os homens sempre precisam explicar algo, e ele me disse que aquele tipo de balé vinha de uma antiga tradição indiana que combinava yoga e meditação. Ele era incapaz de entender que a dança é um poema e cada movimento representa uma palavra.

Imediatamente minha yoga mental e minha meditação espontânea foram interrompidas e me vi na obrigação de entabular qualquer tipo de conversa para não parecer mal-educada.

A mulher de Andreas o olhava. Andreas olhava para mim. Rudolf olhava para mim, para Andreas e para uma das convidadas do governante, que retribuía a cortesia com sorrisos.

Conversamos durante algum tempo — apesar dos olhares de reprovação dos javaneses, porque não estávamos, nenhum de nós estrangeiros, respeitando seu ritual sagrado. Talvez por isso o espetáculo tenha sido encerrado mais cedo, com todos os bailarinos saindo em uma espécie de procissão, olhares fixos nos seus conterrâneos. Nenhum deles voltou seus olhos para o bando de bárbaros brancos acompanhados por suas mulheres bem vestidas, seus risos altos, suas barbas e bigodes cobertos de vaselina e suas péssimas maneiras.

Rudolf caminhou em direção à javanesa que sorria e o olhava sem se deixar intimidar por nada, não antes que eu enchesse seu copo mais uma vez. A mulher de Andreas aproximou-se, segurou seu braço, sorriu de maneira a dizer "ele é meu" e fingiu-se interessadíssima nos comentários inúteis que seu marido continuava a detalhar sobre a dança.

— Todos esses anos fui fiel a você — disse ela, interrompendo a conversa. — Você é aquele que comanda meu coração e meus gestos e Deus é testemunha de que eu, todas as noites, peço para que retorne à casa são e salvo. Se precisasse dar minha vida pela sua, faria isso sem medo nenhum.

Andreas me pediu licença e disse que já estava indo embora; a cerimônia tinha cansado muito a todos, mas ela disse que não se moveria dali; falou isso com tal autoridade que o marido nem sequer ousou fazer qualquer outro movimento.

— Esperei pacientemente até que você entendesse que é a coisa mais importante na minha vida. Acompanhei-o até este lugar que, apesar de lindo, deve ser um pesadelo para todas as mulheres, inclusive Margaretha.

Ela se virou para mim, seus grandes olhos azuis implorando para que eu concordasse, para que eu seguisse a tradição milenar de mulheres serem sempre inimigas e cúmplices umas das outras, mas eu não tive coragem de balançar a cabeça.

— Lutei por este amor com todas as minhas forças e elas acabaram hoje. A pedra que pesava em meu coração agora tem o tamanho de uma rocha e já não o deixa bater mais. E meu coração, em seu último suspiro, disse-me que existem outros mundos além deste, onde não preciso sempre ficar implorando pela companhia de um homem que preencha esses dias e noites vazios.

Alguma coisa me dizia que a tragédia se aproximava. Eu pedi que se acalmasse; ela era muito querida por todo aquele grupo que estava ali, e seu marido era um modelo de oficial. Ela balançou a cabeça e sorriu, como se já tivesse escutado isso muitas vezes. E continuou:

— Meu corpo pode continuar respirando, mas minha alma está morta porque não consigo nem partir daqui, nem fazer com que você entenda que precisa ficar ao meu lado.

Andreas, um oficial do exército holandês, com uma reputação a preservar, estava visivelmente constrangido. Eu dei meia-volta e comecei a me afastar, mas ela largou o braço do marido e segurou o meu.

— Só o amor pode dar sentido àquilo que não tem nenhum. Ocorre que eu não tenho esse amor. Sendo assim, qual a razão de continuar vivendo?

Ela estava com o rosto bem próximo do meu; tentei sentir o cheiro de álcool em seu hálito, mas não havia nenhum. Olhei para os seus olhos e tampouco notei qualquer lágrima; possivelmente todas haviam secado.

— Por favor, preciso que fique, Margaretha. Você é uma boa mulher, que perdeu um filho; eu sei o que isso significa, embora jamais tenha ficado grávida. Não estou fazendo isso por mim, mas por todas aquelas que são prisioneiras em sua pretensa liberdade.

A mulher de Andreas tirou uma pequena pistola da bolsa, apontou em seu próprio coração e disparou antes que qualquer um de nós tivesse tempo de impedi-la. Apesar de grande parte do ruído ter sido absorvida pelo seu vestido de gala, as pessoas se voltaram em nossa direção. Em um primeiro momento, pensaram que eu tinha cometido algum crime pois, segundos antes, ela estava agarrada a mim. Mas logo viram meu olhar de horror, Andreas ajoelhado, tentando estancar o sangue que levava embora a vida de sua mulher. Ela morreu em seus braços e seu olhar não demonstrava nada além de paz. Todos se aproximaram, inclusive Rudolf; a javanesa partiu na direção oposta, com medo do que poderia ocorrer com tantos homens armados e embriagados. Antes que começassem a perguntar o que tinha acontecido, pedi a meu marido que saíssemos logo dali; ele concordou, sem comentar nada.

Quando chegamos em casa, fui direto para o meu quarto e comecei a empacotar minhas roupas. Rudolf caiu no sofá, completamente bêbado. Na manhã seguinte, quando acordou e tomou o farto café da manhã servido pelos empregados, foi até meu quarto e viu as malas. Foi a primeira vez que tocou no assunto.

— Aonde você pensa que está indo?

— Para a Holanda, no próximo navio. Ou para o paraíso, assim que tiver a mesma oportunidade que a mulher de Andreas teve. Você decide.

Até então, ele era o único acostumado a dar ordens ali. Mas meu olhar devia ter mudado por completo e, depois de vacilar um momento, saiu de casa. Quando voltou aquela noite, disse que precisávamos mesmo fazer uso das férias a que ele tinha direito. Duas semanas depois partimos no primeiro navio em direção a Rotterdam.

Eu fora batizada com o sangue da mulher de Andreas e, no meu ritual de batismo, estava livre para sempre, embora nem ele nem eu soubéssemos até onde esta liberdade poderia chegar.

PARTE DO PRECIOSO TEMPO QUE ME RESTA — embora eu ainda tenha muita esperança de ser perdoada pelo presidente da República, já que tenho muitos amigos entre os ministros — foi tomada pela irmã Laurence, que, hoje, me trouxe uma lista de itens que estavam em minha bagagem quando fui presa. Disse-me, com todo o cuidado do mundo, o que deveria fazer com aquilo caso o pior cenário se apresentasse como sendo o único. Pedi para que me deixasse, e devolverei mais adiante, porque no momento não tenho tempo a perder. Mas, caso o pior cenário se torne de fato o único, ela pode fazer o que quiser. De qualquer maneira, vou copiar tudo que está nela, pois já acredito que tudo ocorrerá segundo o melhor cenário.

BAÚ 1

1 relógio dourado adornado com verniz azul e comprado na Suíça; e
1 caixa redonda contendo seis chapéus, três alfinetes de pérola e ouro, algumas penas longas, um véu, duas estolas de pele, três adornos para chapéu, um broche em forma de pera e um vestido de gala.

### Baú 2

1 par de botas de montaria;
1 escova de cavalos;
1 caixa de cera de engraxar;
1 par de polainas;
1 par de esporas;
5 pares de sapatos de couro;
3 camisas brancas para combinar com roupa de amazona;
1 guardanapo — que não sei o que faz ocupando espaço, talvez o usasse para polir as botas;
1 par de perneiras de couro, proteção para as pernas; e
3 sustentadores especiais para os seios, de modo que se mostrem firmes durante o galope.
8 calcinhas de seda e 2 de algodão;
2 cintos para combinar com diferentes roupas de montaria;
4 pares de luvas;
1 guarda-chuva;
3 viseiras para evitar o sol direto nos olhos;
3 pares de meias de lã, ainda que uma delas já esteja desgastada por muito uso;
1 bolsa especial para colocar vestidos;
15 toalhas higiênicas para menstruação;
1 suéter de lã;
1 traje completo de montaria, com jaqueta e calças combinando;
1 caixa com presilhas para o cabelo;
1 mecha de extensão falsa de cabelos, com uma presilha para aplicá-los sobre meu cabelo natural;
3 protetores de garganta em pele de raposa; e
2 caixas de pó de arroz.

### Baú 3

6 pares de ligas;
1 caixa de hidratante para a pele;
3 pares de botas de verniz e salto alto;
2 espartilhos;
34 vestidos;
1 saco de tecido feito à mão, com o que parecem ser sementes de plantas não identificadas;
8 corpetes;
1 xale;
10 pares de calcinhas mais confortáveis;
3 coletes;
2 jaquetas de manga;
3 pentes;
16 blusas;
Outro vestido de gala;

1 toalha e 1 barra de sabão perfumado — não uso os de hotéis, pois podem transmitir doenças; 1 colar de pérolas; 1 bolsa de mão com espelho na parte interior; 1 pente de mármore; 2 caixas que servem para colocar minhas joias antes de dormir; 1 caixa com cartões de visita em cobre, em nome de Vadime de Massloff, Capitaine du première Régiment Speciale Impérial Russe; 1 caixa de madeira contendo um serviço de chá feito de porcelana que ganhei durante a viagem; 2 robes de dormir; Lixa de unha com cabo de madrepérola; 2 cigarreiras, uma de prata e outra de ouro, ou folheada a ouro, não sei ao certo;

8 toucas de cabelo feitas em rede para a hora de dormir; Caixas com colares, brincos, anel de esmeralda, outro anel de esmeralda e brilhantes e outras bijuterias sem muito valor; Bolsa em pano de seda com 21 lenços dentro; 3 leques; Batom e rouge da melhor marca que a França pode produzir; Dicionário de francês; Carteira com várias fotos minhas; e...

E uma série de bobagens das quais pretendo me livrar assim que for solta daqui, como cartas de amantes amarradas em fitas especiais de seda, tickets usados de óperas que gostei de assistir, coisas do tipo.

A maior parte do que tinha foi confiscada pelo Hotel Meurice, em Paris, pois achavam — erroneamente, é claro — que não teria dinheiro para pagar pela minha estadia. Como podiam pensar isso? Afinal, Paris sempre foi o meu primeiro destino; eu jamais deixaria que me considerassem uma vigarista.

EU NÃO ESTAVA PEDINDO PARA SER FELIZ; pedia apenas para não ser tão infeliz e miserável como me sentia. Talvez, se eu tivesse um pouco mais de paciência, teria chegado a Paris em outras condições... mas já não dava para aguentar a recriminação da nova madrasta, do marido, da criança que chorava o tempo inteiro, da cidadezinha com os mesmos habitantes provincianos e cheios de preconceitos, embora agora eu fosse uma mulher casada e respeitável.

Um dia, sem que ninguém soubesse — e para isso era preciso ter muita intuição e habilidade —, tomei um trem para Haia e me dirigi diretamente ao consulado francês. Os tambores de guerra ainda não estavam tocando. Entrar no país ainda era fácil; a Holanda sempre permanecera neutra frente aos conflitos que assolavam a Europa e eu tinha confiança em mim mesma. Conheci o cônsul e depois de duas horas em um café, durante as quais ele procurou me seduzir e eu fingi que estava caindo na armadilha, arranjei um bilhete só de ida para Paris, onde prometi que o esperaria quando ele pudesse passar uns dias por lá.

— Sei ser generosa com aqueles que me ajudam — insinuei. Ele entendeu o recado e perguntou o que eu sabia fazer.

— Sou dançarina clássica de música oriental.

Música oriental? Aquilo despertou ainda mais sua curiosidade. Perguntei se me conseguiria um emprego. Ele comentou que poderia me apresentar a uma pessoa muito poderosa na cidade, Monsieur Guimet, que adorava tudo que vinha do Oriente — além de ser um grande colecionador de arte.

— Quando está pronta para partir?

— Hoje mesmo, se o senhor me arranjar um lugar para ficar.

Ele entendeu que estava sendo manipulado; eu devia ser mais uma destas mulheres que vão para a cidade dos sonhos de todo mundo em busca de homens ricos e vida fácil. Pressenti que ele começava a se esquivar. Estava ouvindo, mas, ao mesmo tempo, observando cada movimento que eu fazia, cada palavra que dizia, como movia meu corpo. E, ao contrário do que imaginava, eu — que havia começado a me comportar como uma mulher fatal — mostrava-me agora a pessoa mais recatada do mundo.

— Se seu amigo quiser, posso mostrar uma ou duas peças de dança javanesa autêntica. Caso não goste, volto no trem no mesmo dia.

— Mas a senhora...

— Senhorita.

— Pediu apenas uma passagem de ida.

Tirei algum dinheiro do bolso e mostrei que tinha

o suficiente para voltar. Tinha também o suficiente para ir, mas deixar que um homem ajude uma mulher o torna sempre vulnerável; esse é o sonho de todos eles, como me contavam as amigas dos oficiais em Java.

Ele relaxou e perguntou meu nome, para que pudesse escrever um bilhete de recomendação para Monsieur Guimet. Eu nunca tinha pensado nisso! Um nome? Isso iria levá-lo até minha família e a última coisa que interessava à França era criar um caso com uma nação neutra por causa de uma mulher que estava desesperada para fugir.

— Seu nome? — ele repetiu, já com a caneta e o papel na mão.

— Mata Hari.

O sangue da mulher de Andreas estava me batizando de novo.

Não conseguia acreditar no que estava vendo; uma gigantesca torre de ferro que quase chegava aos céus e que não estava em nenhum dos cartões-postais da cidade. Em cada uma das margens do rio Sena, distintas construções que ora lembravam a China, ora a Itália e ora qualquer um dos países conhecidos no mundo. Tentei achar a Holanda, mas não consegui. O que representava meu país? Os antigos moinhos? Os pesados tamancos? Nada daquilo tinha espaço no meio de tanta coisa moderna — os cartazes colocados em bases circulares de ferro anunciavam coisas que eu não podia acreditar que existiam:

"Veja! Luzes que se acendem e se apagam sem a necessidade de usar gás e fogo! Só no palácio da eletricidade!"

"Suba as escadas sem mover os pés! Os degraus fazem isso por você." Estava embaixo do desenho de uma estrutura que parecia um túnel aberto, com corrimãos em ambos os lados.

"Art Nouveau: a grande tendência da moda."

Neste caso, não havia nenhum ponto de exclamação, mas a foto de um vaso com dois cisnes de porcelana. Embaixo, o desenho do que parecia ser uma estrutura de metal semelhante à da torre gigantesca, com o pomposo nome de "Grand Palais".

Cineorama, Mareorama, Panorama — todos prometiam imagens que se moviam e eram capazes de transportar o visitante, através de imagens em movimento, até lugares que nunca antes tinham sonhado estar. Quanto mais eu olhava aquilo, mais perdida ficava. E também mais arrependida; talvez tivesse dado um passo maior do que as pernas.

A cidade fervilhava com gente andando de um lado para outro, as mulheres se vestiam com uma elegância que nunca tinha visto na minha vida, os homens pareciam ocupados com assuntos importantíssimos, mas, sempre que eu me virava para trás, notava que seus olhares estavam me seguindo.

Com um dicionário nas mãos e muita dificuldade — embora o francês fosse ensinado na escola —, pois estava muito insegura, me aproximei de uma moça que devia ter mais ou menos a minha idade e perguntei onde ficava o hotel que o cônsul havia reservado para mim. Ela olhou para minha bagagem, para minha roupa e, embora eu estivesse com o melhor vestido que trouxera de Java, seguiu adiante sem responder. Pelo visto, estrangeiros não eram bem-vindos ali, ou parisienses se julgavam superiores a todos os outros povos da Terra.

Repeti minha tentativa duas ou três vezes e a resposta era sempre a mesma, até que me cansei e me sentei em um banco no Jardim das Tulherias, um dos meus sonhos de adolescente. Ter chegado até ali já tinha sido uma conquista maior do que imaginava.

Voltar para trás? Durante algum tempo lutei comigo mesma, sabendo que dificilmente iria conseguir encontrar o lugar onde devia dormir. Neste momento, o destino interferiu: um vento forte soprou e uma cartola veio bater exatamente entre minhas pernas.

Eu a peguei com cuidado e me levantei para entregar ao homem que corria a meu encontro.

— Vejo que está com meu chapéu — disse.

— Seu chapéu foi atraído para minhas pernas — respondi.

— Eu imagino por quê — disse ele, sem disfarçar sua tentativa clara de me seduzir. Ao contrário dos calvinistas de meu país, os franceses tinham fama de ser completa e totalmente livres.

Ele estendeu a mão para pegar a cartola e a coloquei atrás de minhas costas estendendo a outra mão, onde o endereço do hotel estava escrito. Depois de ler, me perguntou o que era aquilo.

— O lugar onde mora uma amiga minha. Vim passar dois dias com ela.

Era impossível dizer que iria jantar com ela, porque ele viu a bagagem ao meu lado.

Ele não dizia nada. Imaginei que o lugar devia ser abaixo de qualquer crítica, mas sua resposta foi uma surpresa:

— A Rue de Rivoli está exatamente atrás do banco onde está sentada. Posso carregar sua mala e, no ca-

53

minho, existem vários bares. Aceitaria tomar um licor de anis, Madame...

— Mademoiselle Mata Hari.

Não tinha nada a perder; era meu primeiro amigo na cidade. Andamos em direção ao hotel e, no caminho, paramos em um restaurante onde os garçons usavam aventais até os pés, se vestiam como se tivessem acabado de sair de uma festa de gala e praticamente não sorriam para ninguém, exceto para o meu companheiro, cujo nome já me esqueci. Encontramos uma mesa recolhida em um canto do restaurante.

Ele me perguntou de onde eu vinha. Expliquei que das Índias Orientais, uma parte do império holandês, onde tinha nascido e crescido. Comentei sobre a bela torre, talvez única no mundo e, sem querer, despertei sua ira.

— Ela vai ser desmontada daqui a quatro anos. Essa exposição universal custou mais para os cofres públicos do que as duas guerras mais recentes em que nos envolvemos. Querem dar a todos a sensação de que, a partir de agora, teremos uma espécie de união entre todos os países da Europa e, finalmente, viveremos em paz. Você acredita nisso?

Eu não tinha ideia, de modo que preferi ficar em silêncio. Como disse antes, os homens adoram explicar coisas e ter opiniões sobre tudo.

— Você precisava ver o pavilhão que os alemães construíram aqui. Tentaram nos humilhar; algo gigantesco, de péssimo gosto; instalações de maquinaria, metalurgia, miniaturas de navios que, em breve, estarão dominando todos os mares e uma gigantesca torre cheia de...

Fez uma pausa como se fosse dizer algo obsceno.

— ... de cerveja! Dizem que é ém homenagem ao Kaiser, mas tenho absoluta certeza de que todo aquele conjunto de coisas serve apenas para um único objetivo: alertar-nos para ter cuidado com eles. Há dez anos prenderam um espião judeu que garantiu que a guerra ia bater de novo às nossas portas. Mas hoje em dia juram que o pobre coitado é inocente, tudo por causa do maldito escritor Zola. Ele conseguiu dividir nossa sociedade e, agora, metade da França quer libertá-lo do lugar onde deveria ficar sempre, a Ilha do Diabo.

Pediu mais dois copos de anis, tomou o seu com uma certa pressa e disse que estava ocupado demais, mas que, caso eu permanecesse mais tempo na cidade, deveria visitar o pavilhão do meu país.

Meu país? Eu não tinha visto moinhos e tamancos.

— Na verdade deram um nome errado: Pavilhão das Índias Orientais da Holanda. Não tive tempo de passar por ali; deve logo ter o mesmo destino de todas as outras instalações caríssimas que hoje vemos aqui, mas disseram que é muito interessante.

Levantou-se. Pegou um cartão de visita, tirou uma caneta de ouro do bolso e riscou o segundo nome, sinal de que esperava que algum dia, quem sabe, poderíamos nos tornar mais próximos.

Saiu despedindo-se formalmente com um beijo na mão. Olhei o cartão e não tinha nenhum endereço, o que, já sabia, era tradição. Não iria começar a acumular coisas inúteis, de modo que, assim que ele sumiu de vista, amassei e joguei-o fora.

Dois minutos depois, voltava para pegar o cartão; aquele era o homem para quem a carta do cônsul era destinada!

# PARTE II

DELGADA E ALTA, *com a graça flexível de um animal selvagem, seus cabelos negros ondulam de maneira estranha e nos transportam para um lugar mágico.*

*A mais feminina de todas as mulheres, escrevendo uma tragédia desconhecida com seu corpo.*

*Mil curvas e mil movimentos que combinam perfeitamente com mil ritmos diferentes.*

Esses recortes de jornais parecem pedaços de uma xícara quebrada, contando uma vida da qual já não me recordo. Assim que sair daqui mandarei encaderná-los em couro; cada página terá uma moldura de ouro e eles serão meu legado para minha filha, já que todo o meu dinheiro foi confiscado. Quando estivermos juntas, contarei sobre o Folies Bergère, sonho de todas as mulheres que, um dia, pretendessem dançar em público. Vou dizer como é bela a Madri dos Áustrias, as ruas de Berlim, os palácios em Monte Carlo. Faremos um passeio juntas pelo Trocadero, o Cercle Royal, andaremos no Maxim's, no Rumpelmayer e em todos os restaurantes que se alegrarão com a volta de sua mais famosa cliente.

Iremos juntas para a Itália, contentes em ver que o maldito Diaghilev está à beira da falência. Mostrarei o La Scala em Milão e direi com orgulho:

— Aqui dancei *Bacchus e Gambrinus*, de Marceno.

Tenho certeza de que o que estou passando agora apenas somará à minha reputação; quem não gostaria de ser vista com uma mulher fatal, possivelmente uma "espiã" cheia de segredos? Todo mundo flerta com o perigo, desde que o perigo não exista.

Ela, possivelmente, me perguntará:

— E minha mãe, Margaretha MacLeod?

E eu responderei:

— Não sei quem é essa mulher. Por toda a minha vida pensei e agi como Mata Hari, aquela que foi e continuará sempre sendo a fascinação dos homens e a mais invejada das mulheres. Desde que parti da Holanda, perdi a noção de distância, de perigo, nada disso me assusta. Cheguei a Paris sem dinheiro e sem um guarda-roupa adequado e veja como subi na vida. Espero que o mesmo aconteça com você.

E comentarei sobre minhas danças — ainda bem que tenho retratos mostrando grande parte dos movimentos e dos figurinos. Ao contrário do que diziam os críticos que jamais souberam me entender, quando estava no palco, eu simplesmente me esquecia da mulher que era e oferecia tudo aquilo para Deus. Por isso me despia com tanta facilidade. Porque eu, naquele momento, não era nada; nem mesmo meu corpo; era apenas os movimentos que comungavam com o universo.

Sempre serei grata a Monsieur Guimet, que me deu a primeira chance de me apresentar em seu museu privado, com roupas caríssimas que ele mandara importar da Ásia para sua coleção particular, mesmo que isso tenha me custado meia hora de muito sexo e pouco prazer. Dancei para uma audiência de trezentas pessoas, que incluía jornalistas, celebridades e, pelo menos, dois embaixadores — o japonês e o alemão. Dois dias depois, todos os jornais só falavam disso: da exótica mulher que nasceu num canto remoto do império holandês e que trazia a "religiosidade" e a "desinibição" de povos distantes.

O palco do museu havia sido decorado com uma estátua de Shiva — o deus hindu da criação e da destruição. Velas queimavam em óleos aromáticos e a música deixava a todos em uma espécie de transe; menos a mim, que sabia exatamente o que planejava fazer, depois de ter examinado cuidadosamente as roupas que me tinham sido confiadas. Era agora ou nunca; a única chance na minha vida até então miserável, sempre pedindo favores e, eventualmente, devolvendo esses favores em troca de sexo. Já estava acostumada com isso; mas uma coisa é ficar acostumada, outra é ficar satisfeita. Dinheiro não bastava. Eu queria mais!

E quando comecei a dançar, achei que precisava fazer algo que só as pessoas em cabarés faziam, sem se importarem muito em dar um sentido a isso. Eu estava em um lugar respeitável, com uma plateia ávida por novidades, mas sem coragem de frequentar certos lugares onde poderiam ser vistos.

A roupa era feita de véus sobrepostos uns aos outros. Eu retirei o primeiro e ninguém pareceu dar muita importância. Mas, quando retirei o segundo e o terceiro, as pessoas começaram a se entreolhar. No quinto véu, a plateia estava totalmente concentrada no que eu fazia, pouco se importando com a dança, mas querendo saber aonde eu iria chegar. Mesmo as mulheres, com quem volta e meia eu cruzava os olhos durante os movimentos, não pareciam chocadas nem irritadas; aquilo devia excitá-las tanto quanto aos homens. Sabia que se estivesse em meu país seria imediatamente enviada à prisão, mas a França era um exemplo de igualdade e liberdade.

Quando cheguei ao sexto véu, me dirigi à estátua de Shiva, simulei um orgasmo e me atirei ao chão, enquanto retirava o sétimo e último véu.

Por alguns momentos não escutei um só ruído da plateia — todos pareciam petrificados ou horrorizados, mas na posição em que me encontrava não podia vê-los. Então veio o primeiro "Bravo", dito por uma voz feminina, e logo a sala inteira aplaudia de pé. Levantei-me com um braço cobrindo os seios e o outro estendido escondendo o sexo. Fiz um sinal de agradecimento com a cabeça e saí pela lateral, onde já havia deixado estrategicamente um roupão de seda. Voltei, continuei agradecendo pelos aplausos que não paravam e resolvi que era melhor sair e não voltar mais; isso fazia parte do mistério.

Entretanto, pude notar que uma única pessoa não aplaudia, apenas sorria: Madame Guimet.

QUANDO DOIS CONVITES CHEGARAM NA MANHÃ SEGUINTE, sendo um deles de uma mulher, Madame Kireyevsky, perguntando se eu poderia repetir a mesma apresentação de dança em um baile de caridade para levantar fundos para os soldados russos feridos, Madame Guimet me chamou para passear pelas margens do Sena.

As bancas de jornal ainda não estavam cobertas de cartões-postais com meu rosto, ainda não existiam cigarros, charutos e loções de banho com meu nome; continuava sendo uma ilustre desconhecida, mas sabia que tinha dado o passo mais importante; cada uma daquelas pessoas na plateia tinha saído dali fascinada, e essa seria a melhor propaganda que eu poderia ter.

— Ainda bem que as pessoas são ignorantes — disse ela. — Porque nada do que você mostrou pertence a qualquer tradição oriental. Deve ter inventado cada passo à medida que a noite avançava.

Eu fiquei gelada e achei que o próximo comentário seria sobre o fato de ter passado uma noite, uma simples, única e desagradável noite com seu marido.

— Os únicos que conhecem isso são os chatíssimos antropólogos que aprenderam tudo em livros; jamais poderão denunciá-la.

— Mas eu...

— Sim, acredito que esteve em Java e que conheça os costumes locais e que talvez tenha sido amante ou esposa de algum oficial do seu exército. E que, como toda jovem, sonhava um dia em fazer sucesso em Paris; por isso, fugiu na primeira oportunidade e veio para cá.

Continuamos andando, mas agora em silêncio. Eu poderia continuar mentindo, coisa que fiz durante toda a minha vida, e poderia mentir sobre qualquer coisa, menos sobre algo que Madame Guimet conhecia perfeitamente. Melhor aguardar e ver até onde esta conversa chegaria.

— Tenho alguns conselhos para lhe dar — disse Madame Guimet quando começamos a cruzar a ponte que levava à gigantesca torre de metal.

Pedi que nos sentássemos. Para mim era difícil me concentrar enquanto caminhávamos em meio a tanta gente. Ela concordou e achamos um banco no Champ de Mars. Alguns homens, com ar sério e compenetrado, jogavam bolas de metal e tentavam atingir um pedaço de madeira; aquilo me parecera uma cena absurda.

— Conversei com alguns amigos que estavam presentes em sua apresentação e sei que amanhã os jornais irão colocá-la nos céus. De minha parte, não se preocupe; não direi nada a ninguém sobre a "dança oriental".

Eu continuei escutando. Não era possível argumentar nada.

— Meu primeiro conselho é o mais difícil e nada tem a ver com sua performance: nunca se apaixone. O amor é um veneno. Uma vez apaixonada, você deixa de ter controle sobre sua vida, já que seu coração e sua mente pertencem à outra pessoa. Sua existência está ameaçada. Você passa a fazer tudo para conservar a pessoa amada e perde a noção do perigo. Essa coisa inexplicável e perigosa chamada amor varre da face da Terra tudo que você é e deixa em seu lugar aquilo que a pessoa amada deseja que você seja.

Eu me lembrei dos olhos da mulher de Andreas antes de ela disparar em si mesma. O amor nos mata de repente, sem deixar nenhuma evidência do crime.

Um menino se aproximou de uma carrocinha para comprar sorvete. Madame Guimet aproveitou aquela cena para seu segundo conselho.

— As pessoas dizem: a vida não é tão complicada assim; a vida é muito complicada. O que é simples é desejar um sorvete, uma boneca, a vitória no jogo de boche em que aqueles adultos, pais de família e cheios de responsabilidade, estão suando e sofrendo, enquanto tentam acertar uma estúpida bola de metal em um pedacinho de madeira. Simples é querer ser famosa, mas difícil é manter-se como tal por mais de um mês, um ano, sobretudo quando a fama está ligada ao corpo. Simples é desejar um homem com todo o coração, mas tudo fica impossível e complicado quando este homem está casado, tem filhos e não irá deixar sua família por nada deste mundo.

Ela fez uma longa pausa, seus olhos encheram-se

de lágrimas e percebi que estava falando de sua própria experiência.

Foi minha vez de falar. Em um só fôlego contei que sim, eu havia mentido; não tinha nascido nem sido educada nas Índias Holandesas, mas conheci o lugar e o sofrimento das mulheres que chegaram ali em busca de independência e excitação e encontraram apenas solidão e tédio. Tentei reproduzir da maneira mais fiel possível a última conversa da mulher de Andreas com seu marido buscando consolar Madame Guimet, sem dar a entender que ela estava falando de si mesma em todos os conselhos que me dava.

— Tudo neste mundo tem dois lados. As pessoas que foram abandonadas por esse deus cruel chamado amor são culpadas porque olham para o passado e se perguntam o porquê de terem feito tantos planos para o futuro. Mas, se buscassem mais longe em suas memórias, iriam se lembrar do dia em que aquela semente foi plantada e de como a adubaram e a deixaram crescer até que se tornasse uma árvore impossível de ser arrancada.

Minha mão tocou instintivamente o lugar da bolsa onde estavam as sementes que minha mãe me entregara antes de morrer. Eu sempre as carregava comigo.

— Então, quando uma mulher ou um homem são abandonados pela pessoa que amam, se concentram apenas na própria dor. Ninguém se pergunta o que está acontecendo com o outro. Estará também sofrendo porque escolheu ficar com a família por causa da sociedade, deixando para trás o próprio coração? Todas as noites devem deitar-se em suas camas sem conseguir dormir direito, confusos e perdidos, às vezes achando que tomaram a decisão errada. Outras vezes, certos de que cabia a eles proteger suas famílias e filhos. Mas o tempo não está do seu lado; quanto mais distante fica o momento da separação, mais as lembranças são purificadas dos momentos difíceis e passam a ser apenas a saudade daquele paraíso perdido.

— Ele não consegue mais ajudar a si mesmo. Tornou-se uma pessoa distante, parece ocupado durante os dias de semana e, aos sábados e domingos, vem para o Champ de Mars jogar bola com seus amigos enquanto seu filho se contenta com sorvete e sua mulher olha com ar perdido para os vestidos elegantes que desfilam diante dela. Não haverá vento forte o suficiente para fazer com que o barco mude de direção; ele permanece no porto arriscando-se apenas em águas paradas. Todos sofrem; os que partiram, os que ficaram, as famílias e os filhos. Mas ninguém pode fazer mais nada.

Madame Guimet manteve os olhos fixos na grama recém-plantada no centro do jardim. Fingia que estava apenas "tolerando" minhas palavras, mas sabia que eu tinha tocado sua ferida e ela voltara a sangrar. Depois de algum tempo, levantou-se e sugeriu que voltássemos — seus empregados já deviam estar preparando o jantar. Um artista que estava ficando famoso e importante queria visitar o museu com seus amigos e terminariam a noite indo até a galeria dele, onde pretendia lhes mostrar alguns quadros.

— Claro, sua intenção é tentar vender-me algo. E minha intenção é conhecer gente diferente, sair de um mundo que já conheço bastante e que começa a me entediar.

Caminhamos sem pressa. Antes de atravessar de novo a ponte, em direção ao Trocadero, ela me perguntou se gostaria de juntar-me a eles. Disse que sim, mas que tinha deixado meu vestido de noite no hotel e talvez não fosse adequado para a ocasião.

Na verdade, eu não tinha um vestido de noite que se aproximasse em elegância e beleza daqueles vestidos "para passear no parque" que usavam as mulheres com quem cruzávamos. E o hotel era uma metáfora para a pensão onde vivia há dois meses, a única que permitia que levasse meus "convidados" para o quarto.

Mas mulheres são capazes de se entender sem trocar palavra.

— Eu posso lhe emprestar um vestido para hoje à noite, se quiser. Tenho muito mais do que consigo usar.

Aceitei com um sorriso e nos dirigimos à sua casa.

Quando não sabemos aonde a vida está nos levando, nunca estamos perdidos.

— Este é Pablo Picasso, o tal artista de quem lhe falei — e que, a partir do momento em que fomos apresentados, esqueceu-se do resto dos convidados e procurava puxar conversa comigo o tempo inteiro. Falou de minha beleza, pediu que posasse para ele, disse que eu precisava ir com ele até Málaga, nem que fosse para passar uma semana fora daquela loucura que era Paris. Seu objetivo era um só e ele não precisava me dizer qual: levar-me para a cama.

Eu estava imensamente constrangida com aquele homem feio, mal-educado, de olhos arregalados e que se julgava o maior entre os maiores. Seus amigos eram muito mais interessantes, inclusive um italiano, Amedeo Modigliani, que parecia mais nobre, mais elegante e que, em momento algum, tentou forçar qualquer conversa. Toda vez que Pablo terminava suas intermináveis e incompreensíveis dissertações sobre as revoluções que aconteciam na arte eu me voltava para Modigliani e isso parecia enfurecer o espanhol.

— O que você faz? — quis saber Amedeo.

Expliquei que me dedicava à dança sagrada das tribos de Java. Ele pareceu não entender direito, mas, educadamente, começou a falar da importância dos olhos na dança. Era fascinado por olhos e, quando, por acaso, ia ao teatro, prestava pouca atenção aos movimentos do corpo e se concentrava no que os olhos queriam dizer.

— Espero que isso ocorra nas danças sagradas de Java, porque não conheço nada sobre elas. Sei apenas que no Oriente eles conseguem manter o corpo completamente imóvel e concentrar nos olhos toda a força do que querem dizer.

Como eu não sabia exatamente a resposta para isso, apenas balançava a cabeça, em um sinal enigmático que podia parecer sim ou não, dependendo de como ele o interpretasse. A toda hora Picasso interrompia a conversa com suas teorias, mas o elegante e educado Amedeo sabia esperar o momento de voltar ao tema.

— Posso lhe dar um conselho? — perguntou ele quando o jantar já se aproximava do fim e nos preparávamos para ir ao estúdio do espanhol. Eu acenei positivamente com a cabeça.

— Saiba o que quer e procure ir além daquilo que espera de si mesma. Melhore sua dança, treine muito e coloque um objetivo muito alto, difícil de alcançar. Porque essa é a missão do artista: ir além dos seus limites. Um artista que deseja pouco e acaba conseguindo falhou na vida.

O estúdio do espanhol ficava não muito longe e fomos todos a pé. Ali vi coisas que me deslumbraram e outras que simplesmente detestei. Mas não é essa a condição humana? Ir de um extremo ao outro sem passar pelo meio? Para provocá-lo, parei diante de determinada pintura e perguntei por que insistia em complicar as coisas.

— Eu levei quatro anos para aprender a pintar como um mestre da Renascença e toda a minha vida para voltar a desenhar como criança. Ali está o verdadeiro segredo: no desenho da criança. O que você está vendo pode parecer infantil, mas é o que há de mais importante na arte.

A resposta me pareceu brilhante, mas eu já não conseguia voltar no tempo e tornar a gostar dele. A essa altura Modigliani já havia ido embora, Madame Guimet apresentava visíveis sinais de exaustão, apesar de manter a pose, e Picasso parecia incomodado com o ciúme de sua namorada, Fernande.

Expliquei que já era tarde para todos nós e cada um seguiu seu caminho. Nunca mais tornei a encontrar Amedeu ou Pablo. Soube apenas que Fernande decidira abandoná-lo, mas não me informaram exatamente a razão. Voltei a encontrá-la apenas uma vez, alguns anos depois, quando trabalhava como vendedora de uma loja de antiguidades. Ela não me reconheceu, fingi que não a reconheci e também ela desapareceu de minha vida.

E NOS ANOS SEGUINTES, QUE FORAM POUCOS — HOJE, quando lembro, parecem ter sido intermináveis —, eu olhei apenas para o sol e me esqueci das tempestades. Deixei-me maravilhar pela beleza das rosas e não prestei atenção aos espinhos. O advogado que me defendeu no tribunal, sem muita convicção, foi um dos meus muitos amantes. Portanto, dr. Edouard Clunet, o senhor pode arrancar esta página do caderno e jogá-la fora, caso as coisas corram exatamente como planejou e eu termine em frente a um pelotão de fuzilamento. Infelizmente, não tenho mais ninguém para confiar isso. Todos nós sabemos que serei morta não por causa desta alegação estúpida de espionagem, mas porque decidi ser quem sempre sonhei, e o preço de um sonho é sempre alto.

O strip-tease já existia — e era permitido por lei — desde o final do século passado, mas sempre foi considerado uma mera exposição de carne humana. Eu transformei aquele espetáculo grotesco em arte. Quando tornaram a proibi-lo, pude continuar com meus espetáculos porque eles seguiam dentro da lei, já que eu estava longe da vulgaridade das outras mulheres que se despiam em público. Entre aqueles que frequentaram meus espetáculos estavam compositores como Puccini e Massenet, embaixadores como Von Klunt e Antonio Gouvea, magnatas como o barão de Rothschild e Gaston Menier. Custa-me acreditar que no momento em que escrevo estas linhas eles não estejam fazendo algo para conseguir minha liberdade. Afinal de contas, o capitão Dreyfus, injustamente acusado, não está de volta da Ilha do Diabo?

Muitos alegarão: ele era inocente! Sim, mas eu também sou. Não existe uma prova concreta contra mim, além daquilo que eu mesma costumava me gabar para aumentar minha própria relevância quando decidi abandonar a dança, apesar de ser uma excelente dançarina. Se não fosse assim, não seria representada pelo mais importante agente da época, Mr. Astruc, que também agenciava os grandes talentos russos.

Astruc quase conseguiu que eu dançasse com Nijínski no Scala de Milão. Mas o agente — e amante — do bailarino me considerou uma pessoa difícil, temperamental e insuportável e, com um sorriso nos lábios, conseguiu que eu fosse obrigada a mostrar minha arte sozinha, sem nenhum apoio da imprensa italiana ou dos próprios diretores do teatro. Com isso, parte da minha alma morreu. Eu sabia que estava envelhecendo e que, em breve, já não conseguiria ter a mesma flexibilidade e leveza; e os jornais sérios, que tanto me elogiaram no começo, agora se voltavam contra mim.

E as imitadoras? Por todo canto apareciam cartazes dizendo coisas do tipo: "a sucessora de Mata Hari".

Tudo que faziam era sacudir o corpo de maneira grotesca e tirar a roupa, sem a menor arte e inspiração.

Não posso me queixar de Astruc, embora a essa altura a última coisa que deseje ver é seu nome associado ao meu. Ele aparecera alguns dias depois da série de apresentações beneficentes que fizera para levantar fundos e ajudar os soldados russos feridos. Desconfiava, sinceramente, que aquele dinheiro todo, resultado de mesas vendidas a preço de ouro, fosse terminar nos campos de batalha do Pacífico, onde os japoneses estavam dando uma surra nos homens do tsar. Mas, mesmo assim, foram as primeiras apresentações depois do Museu Guimet e todos estavam contentes com o resultado: eu podia conseguir mais gente interessada em meu trabalho, Madame Kireyevsky enchia seus cofres e me dava parte do dinheiro, os aristocratas achavam que estavam contribuindo para uma boa causa e todos, absolutamente todos, tinham a possibilidade de ver uma bela mulher nua sem que isso causasse qualquer tipo de constrangimento.

Astruc me ajudou a encontrar um hotel digno da minha fama crescente, arranjou contratos em toda Paris. Conseguiu que eu me apresentasse na mais importante casa de espetáculos da época, o Olympia. Filho de um rabino belga, Astruc era capaz de apostar tudo que tinha em pessoas totalmente desconhecidas e que hoje são os ícones da época, como Caruso e Rubinstein. No momento certo, me levou para conhecer o mundo. Graças a ele mudei por completo minha maneira de me comportar, comecei a ter mais dinheiro do que jamais imaginei ganhar, me apresentei nas principais casas de espetáculo da cidade e pude, finalmente, me dar ao luxo daquilo que mais apreciava no mundo: a moda.

Não sei quanto gastei, porque Astruc me dizia que era de mau gosto perguntar o preço.

— Escolha e mande entregar no hotel onde vive e eu me encarrego do resto.

Agora, à medida que escrevo estas linhas, começo a perguntar a mim mesma: será que ele ficava com parte do dinheiro?

Mas não posso continuar assim. Não posso manter essa amargura no meu coração, porque caso saia daqui — e assim espero que aconteça, porque é simplesmente impossível ser abandonada por todo mundo — terei acabado de completar quarenta e um anos e ainda quero ter o direito de ser feliz. Ganhei muito peso e dificilmente poderei voltar à dança, mas o mundo tem muito mais coisas que isso.

Prefiro pensar em Astruc como alguém que foi capaz de arriscar toda a sua fortuna construindo um teatro e inaugurando-o com *A sagração da primavera*, peça de um compositor russo completamente desconhecido e cujo nome não consigo lembrar, estrelada por aquele idiota do Nijínski, que imitou minha cena de masturbação na primeira apresentação que fiz em Paris.

Prefiro me lembrar de Astruc como aquele que certa vez me convidou para tomar o trem e ir até a Normandia, porque ambos tínhamos conversado na véspera sobre a nostalgia de passar tanto tempo sem ver o mar. Já fazia quase cinco anos que trabalhávamos juntos.

Ali ficamos sentados na praia, sem conversar muito; até peguei uma folha de jornal em minha bolsa e estendi para que ele lesse.

"A decadente Mata Hari: muito exibicionismo e pouco talento", dizia o título do artigo.

— Foi publicado hoje — disse.

Enquanto ele lia, me levantei, andei até a beira da água e peguei algumas pedras.

— Ao contrário do que você está pensando, estou farta. Afastei-me de meus sonhos e não sou, nem de longe, a pessoa que imaginava ser.

— Como? — disse um surpreso Astruc. — Eu represento apenas os maiores artistas e você está entre eles! Uma simples crítica de quem não tem nada melhor para escrever pode deixá-la fora de si?

— Não. Mas é a primeira coisa que leio sobre mim em muito tempo. Estou rapidamente desaparecendo dos teatros e da imprensa. As pessoas me veem apenas como uma prostituta que se desnuda em público, sob o pretexto de mostrar alguma arte.

Astruc se levantou e veio até mim. Também pegou algumas pedras no chão e atirou uma delas na água, bem longe da arrebentação.

— Eu não represento prostitutas, porque isso acabaria com minha carreira. É verdade que já tive que explicar a um ou dois dos meus agenciados porque havia um cartaz de Mata Hari no meu escritório. E sabe o que eu disse? Que o que você faz é repetir um mito da Suméria, no qual a deusa Inanna vai até o mundo proibido. Ela precisa atravessar sete portais; em cada um deles existe um guardião e, para pagar sua passagem, vai removendo peças de sua roupa. Um grande escritor inglês que precisou se exilar em Paris e terminou morrendo na solidão e na miséria escreveu uma peça de teatro que um dia irá se tornar um clássico. Conta a história de como Herodes conseguiu a cabeça de João Batista.

— *Salomé*! Onde está essa peça?

Meu estado de espírito começava a mudar.

— Não tenho os direitos autorais dela. E não posso mais encontrar seu autor, Oscar Wilde, a não ser que eu vá até o cemitério invocar seu espírito. Tarde demais.

De novo voltaram a frustração, a miséria, a ideia de que, em breve, estaria velha, feia e pobre. Já havia passado dos trinta anos — uma idade crucial. Peguei uma pedra e a atirei com mais força que Astruc.

— Pedra, vai para longe e carrega meu passado contigo. Todas as minhas vergonhas, toda a minha culpa e os erros que cometi.

Astruc atirou sua pedra, me explicando que eu não havia cometido erro nenhum. Exerci meu poder de escolha. Eu não lhe dei ouvidos e joguei mais uma pedra.

— E essa é para o abuso que sofreram meu corpo e minha alma. Desde minha primeira e terrível experiência sexual até o presente momento, onde me deito com homens ricos, realizando atos que terminam por me afogar em lágrimas. Tudo isso por influência, dinheiro, vestidos, coisas que vão ficando velhas. Vivo atormentada pelos pesadelos que eu criei para mim mesma.

— Mas você não é feliz? — me perguntou um Astruc cada vez mais surpreso. Afinal, tínhamos resolvido passar uma tarde agradável na praia.

Eu não parava de atirar pedras, cada vez com mais fúria e cada vez mais surpresa comigo mesma. O amanhã já não parecia mais com o amanhã e o presente já não era mais o presente, mas um poço que estava cavando a cada passo que dava. De um lado e de outro as pessoas passeavam, as crianças brincavam, as gaivotas faziam movimentos estranhos no céu e as ondas vinham mais calmamente do que imaginava.

— Essa é porque sonho com ser aceita e respeitada, embora não deva nada a ninguém. Por que preciso disso? Perder meu tempo com preocupações, arrependimentos, escuridão... essa escuridão que termina me escravizando e me acorrentando em uma rocha de onde não posso mais sair e onde sirvo de alimento para aves de rapina.

Não conseguia chorar. As pedras iam sumindo na água, talvez caindo umas ao lado das outras e reconstruindo Margaretha Zelle debaixo da superfície. Mas eu não queria voltar a ser ela, a que olhou nos olhos da mulher de Andreas e entendeu tudo. A que me disse, sem mencionar estas palavras exatas, que nossas vidas estão planejadas em seus menores detalhes: nascer, estudar, ir para a universidade em busca de um marido, casar — mesmo que seja com o pior homem do mundo, apenas para que os outros não digam que ninguém nos quer — e ter filhos, envelhecer, passar o final dos dias com a cadeira na calçada olhando quem passa, fingindo que sabe tudo da vida, mas sem poder calar a voz do coração que diz: "Você podia tentar outra coisa".

Uma gaivota se aproximou de nós, deu um grito estridente e se afastou de novo. Chegou tão perto que Astruc colocou o braço nos olhos, para protegê-los. Aquele grito me trouxe de volta à realidade; voltei a ser uma mulher famosa, confiante em sua beleza.

— Quero parar. Não quero continuar nesta vida. Quanto tempo ainda poderei trabalhar como atriz e dançarina?

Ele foi honesto em sua resposta:

— Talvez mais uns cinco anos.

— Então terminamos aqui.

Astruc segurou minha mão:

— Não podemos! Ainda há contratos para cumprir e serei multado se não fizer isso. Além do mais, você precisa ganhar a vida. Não vai querer terminar seus dias naquela pensão imunda onde a encontrei, vai?

— Cumpriremos os contratos. Você foi bom comigo e não vou deixar que pague pelos meus delírios de grandeza ou de baixeza. Mas não se preocupe, eu sei como continuar ganhando a vida.

E, sem pensar muito, comecei a contar-lhe minha história — coisa que até então tinha guardado apenas para mim mesma, porque era tudo uma mentira atrás da outra. À medida que falava, as lágrimas começaram a jorrar. Astruc perguntou se eu estava bem, mas continuei a contar tudo e ele não disse mais nada, apenas ficou me ouvindo em silêncio.

Achei que estava afundando em um poço negro, aceitando finalmente que não era nada do que pensei, mas de repente percebi que à medida que encarava minhas feridas e cicatrizes eu me sentia mais forte. As lágrimas tinham uma voz própria e não surgiam em meus olhos, mas da mais profunda e escura parte do meu coração, contando-me uma história que nem eu mesma conhecia direito. Ali estava eu em uma jangada que navegava pela escuridão completa mas que, lá longe, no horizonte, podia ver a luz de um farol que terminaria por conduzi-la à terra firme, se o mar revolto permitisse, se já não fosse tarde demais.

Nunca tinha feito isso antes. Pensava que se falasse a respeito dos meus ferimentos terminaria por torná-los ainda mais reais e, no entanto, estava acontecendo exatamente o oposto: estavam sendo cicatrizados pelas minhas lágrimas.

Às vezes dava socos no cascalho da praia e minhas mãos sangravam, mas eu nem sequer sentia a dor, porque estava sendo curada. Entendi por que os católicos se confessavam, mesmo sabendo que os padres tinham pecados iguais ou piores que os deles. Não importava quem estava ouvindo; o que importava era deixar a ferida aberta para que o sol a purificasse e a água da chuva a lavasse. Isso eu estava fazendo agora, diante de um homem com o qual não tinha nenhuma intimidade. E essa era a verdadeira razão pela qual eu podia falar tão livremente.

Depois de muito tempo, quando parei de soluçar e deixei que o barulho das ondas me acalmasse, Astruc me pegou gentilmente pelo braço e disse que o último trem para Paris iria partir dali a pouco e que seria melhor nos apressarmos. No caminho, Astruc me contou todas as novidades do meio artístico, quem estava dormindo com quem e quem tinha sido despedido de tal lugar.

Eu ria e pedia mais. Era realmente um homem sábio e elegante; sabia que aquele assunto tinha escorrido pelos meus olhos através das lágrimas, enterrando-se na areia, devendo permanecer ali até o final dos tempos.

— Vivemos o melhor momento de nossa história. Quando você chegou aqui?

— Na época da Exposição Universal; era uma outra Paris; mais provinciana, embora eu achasse que estava no centro do mundo.

O sol da tarde entrava pela janela do caríssimo quarto localizado no Hotel Élysée. Estávamos cercados de tudo que a França podia oferecer de melhor: champanhe, absinto, chocolates, queijos e o perfume de flores recém-colhidas. Lá fora dava para ver a grande torre que, agora, tinha o nome do seu construtor, Eiffel.

Ele também olhou para a imensa estrutura de ferro.

— Ela não foi construída para permanecer aí depois do final da exposição. Espero que levem adiante o plano de desmontar rápido esse monstrengo.

Eu podia discordar apenas para que ele apresentasse mais argumentos e terminasse vencendo no final. Mas fiquei quieta, enquanto ele falava da Belle Époque que o país vivia. A produção industrial tinha triplicado, a agricultura era agora ajudada por máquinas capazes de fazer — sozinhas — o trabalho de dez homens, as lojas viviam cheias e a moda havia mudado por completo, o que me agradava muito, já que tinha desculpa de ir às lojas renovar meu guarda-roupa pelo menos duas vezes por ano.

— Reparou que até o gosto da comida está melhor?

Tinha reparado sim, e isso não me agradava muito, pois estava começando a ganhar peso.

— O presidente da República me disse que o número de bicicletas subiu de *trezentos e setenta e cinco mil* no final do século para mais de *três milhões* nos dias de hoje. As casas têm água corrente, gás, as pessoas podem viajar para longe durante os feriados. O consumo de café quadruplicou, e o pão pode ser comprado sem que se formem filas diante das padarias.

Por que ele estava me fazendo essa conferência? Era hora de dar um bocejo e voltar ao papel de "mulher burra".

O antigo ministro da Guerra — atual deputado na Assembleia Nacional —, Adolphe Messimy, levantou-se de sua cama e começou a colocar sua roupa com todas as medalhas e galardões. Naquele dia tinha um encontro com seu antigo batalhão e não podia ir vestido como um simples civil.

— Embora detestemos os ingleses, pelo menos eles estão certos em alguma coisa: são mais discretos quando se vestem para ir à guerra em seus horríveis uniformes marrons. Nós, por outro lado, achamos que devemos morrer com elegância, com estas calças e quepes vermelhos, que gritam para o inimigo: "Ei, apontem seus rifles e canhões para cá, não estão nos vendo?".

Riu de sua própria piada, eu também ri para agradar-lhe e comecei a me vestir. Há muito tinha perdido a ilusão de ser amada por quem era e agora aceitava sem o menor problema flores, adulações e dinheiro que alimentavam meu ego e minha falsa identidade. Com toda a certeza, um dia eu chegaria ao túmulo sem ter conhecido o amor, mas que diferença isso fazia? Para mim, amor e poder eram a mesma coisa.

Mas não era tola o suficiente para deixar que outros percebessem isso. Aproximei-me de Messimy e dei-lhe um sonoro beijo no rosto, cuja metade estava coberta por bigodes semelhantes ao do meu malfadado marido.

Ele colocou um gordo envelope cheio de notas de mil francos em cima da mesa.

— Não me entenda mal, mademoiselle. Como estava falando do progresso do país, acho que é hora de ajudar o consumo. Sou um oficial que ganho muito e gasto pouco. Portanto, preciso contribuir um pouco, estimulando o consumo.

De novo riu de sua própria piada porque acreditava, sinceramente, que eu estava apaixonada por tantas medalhas e pela sua convivência íntima com o presidente da República, que fazia questão de mencionar toda vez que nos encontrávamos.

Se ele percebesse que era tudo falso, que amor — para mim — não obedecia a nenhuma regra, talvez ele terminasse por se afastar e, depois, por me punir. Estava ali não apenas por causa de sexo, mas para sentir-se querido, como se a paixão de uma mulher pudesse realmente despertar a sensação de que era capaz de tudo.

Sim, amor e poder eram a mesma coisa — e não apenas para mim.

Ele saiu e eu me vesti sem pressa. Meu próximo encontro era fora de Paris, e tarde da noite. Passaria no hotel, colocaria meu melhor vestido e me dirigiria para Neuilly, onde meu amante mais fiel havia comprado uma vila em meu nome. Pensei em pedir também que me desse um carro com chofer, mas achei que desconfiaria.

Claro, eu poderia ser mais — digamos — exigente com ele. Era casado, banqueiro com imensa reputação e qualquer coisa que eu insinuasse em público seria uma festa para os jornais, que agora só se interessavam pelos meus "célebres amantes" e tinham se esquecido por completo do longo trabalho que custei tanto para desenvolver.

Durante meu julgamento, soube que alguém no saguão fingia ler um jornal mas, na verdade, estava vigiando cada movimento meu. Assim que saí, ele se levantou de seu lugar e, discretamente, me seguiu.

Passeei pelos bulevares da cidade mais linda do mundo, vi os cafés cheios, as pessoas cada vez mais bem vestidas andando de um lado para o outro, escutei a música de violinos que saía pelas portas e janelas de lugares mais sofisticados e pensei que, afinal de contas, a vida tinha sido boa comigo. Não era preciso chantagear ninguém, bastava saber como administrar os dons que havia recebido e teria uma velhice tranquila. Além do mais, se eu falasse de um único homem com quem havia dormido, todos os outros fugiriam imediatamente de minha companhia, com medo de serem chantageados e expostos.

Tinha planos de ir até o castelo que meu amigo banqueiro havia mandado construir para "sua velhice". Pobre coitado; já era velho, mas não queria admitir isso. Ficaria lá por dois ou três dias praticando equitação e, no domingo, estaria de volta a Paris, indo direto para o Hipódromo de Longchamp, tendo a oportunidade de mostrar a todos os que me invejavam e os que me admiravam que eu era uma excelente amazona.

Mas, antes que a noite caísse, por que não tomar um bom chá de camomila? Sentei-me do lado de fora de um café e as pessoas me olharam porque meu rosto e meu corpo agora estavam em vários cartões-postais espalhados por toda a cidade. Fingi que estava em um mundo de devaneios, com ar de alguém que tinha coisas mais importantes para fazer.

Antes mesmo que tivesse a oportunidade de pedir algo, um homem se aproximou e elogiou minha beleza. Reagi com o costumeiro ar de tédio e agradeci com um sorriso formal, virando logo o rosto. Mas o homem não se moveu.

— Uma boa xícara de café irá salvar o resto do seu dia.

Eu não respondi nada. Ele fez sinal para o garçom e pediu que me atendesse.

— Um chá de camomila, por favor — disse para o garçom.

Seu francês era carregado com um sotaque que poderia ser da Holanda ou da Alemanha.

O homem sorriu, tocou a aba de seu chapéu como se estivesse se despedindo, mas, na verdade, estava me cumprimentando. Perguntou se me incomodava que ele se sentasse ali por alguns minutos. Respondi que sim, preferia estar sozinha.

— Uma mulher como Mata Hari jamais está sozinha — disse o recém-chegado. O fato de ter me reconhecido fez com que tocasse em uma corda que normalmente soa muito alto em qualquer ser humano: a vaidade. Mesmo assim não o convidei para sentar.

— Talvez esteja buscando coisas que ainda não encontrou — continuou ele. — Porque, além de ser reconhecidamente a mais bem vestida de toda a cidade, como li recentemente em alguma revista, sobra muito pouca coisa para conquistar, não é verdade? E, de repente, a vida vira um tédio completo.

Pelo visto, aquele era um fã empedernido; como sabia coisas que são publicadas apenas em revistas femininas? Daria ou não daria uma chance a ele? Afinal, ainda era cedo para chegar a Neuilly e jantar com o banqueiro.

— Está tendo sucesso em encontrar coisas novas? — insistiu.

— Claro. A cada momento eu me descubro nova. E isso é o que há de mais interessante na vida.

Ele não pediu de novo; simplesmente puxou uma cadeira, sentou-se à minha mesa e, quando o garçom chegou com o chá, pediu uma grande xícara de café para si mesmo, fazendo um sinal que indicava: *eu pago a conta.*

— A França caminha para uma crise — continuou. — E vai ser muito difícil sair dela.

Naquela tarde eu tinha escutado exatamente o contrário. Mas parece que todo homem tem alguma opinião a respeito de economia, um assunto que não me interessava absolutamente.

Resolvi jogar um pouco de seu jogo. Repeti como papagaio tudo aquilo que Messimy me dissera a respeito do que chamou "la Belle Époque". Ele não demonstrou nenhuma surpresa.

— Não falo só da crise econômica; falo das crises pessoais, das crises de valores. Você acha que as pessoas já se acostumaram com a possibilidade de conversar à distância, através desta invenção que os americanos trouxeram para a Exposição de Paris e que agora está em cada canto da Europa?

— Durante milhões de anos, o homem sempre falou com aquilo que conseguia ver. De repente, em apenas uma década, "ver" e "falar" foram separados. Nós achamos que estamos acostumados com isso e não percebemos o imenso impacto causado em nossos reflexos. Nosso corpo simplesmente ainda não está acostumado.

— O resultado prático é que, quando falamos ao telefone, conseguimos entrar num estágio muito semelhante a certos transes mágicos; descobrimos outras coisas a respeito de nós mesmos.

O garçom voltou com a conta. Ele parou de falar até que o homem se afastasse.

— Sei que você deve estar cansada de ver, em cada esquina, alguma dançarina vulgar de strip-tease dizendo-se a sucessora da grande Mata Hari. Mas a vida é assim: ninguém aprende. Os filósofos gregos... Estou lhe aborrecendo, mademoiselle?

Fiz um sinal negativo com a cabeça e ele continuou:

— Deixemos os filósofos gregos pra lá. O que eles diziam há milhares de anos ainda se aplica ao que acontece hoje. Então o fato não é novo. Na verdade, eu gostaria de fazer-lhe uma proposta.

Mais um, pensei.

— Enquanto aqui já não a tratam com o respeito que merece, quem sabe não gostaria de apresentar-se em um lugar onde já escutaram seu nome como a grande bailarina do século? Estou falando de Berlim, a cidade de onde venho.

Era uma proposta tentadora.

— Posso colocar você em contato com meu empresário...

Mas o recém-chegado cortou a conversa.

— Prefiro lidar diretamente com você. Seu empresário é de uma raça que não apreciamos muito... nem os franceses, nem os alemães.

Era estranha essa história de detestarem as pessoas apenas por causa da religião. Via isso com os judeus, mas antes, quando estava em Java, soube de alguns massacres feitos pelo exército apenas porque adoravam um deus sem face e tinham um livro sagrado que garantiam ter sido ditado por um anjo a um profeta, de cujo nome também não me lembrava. Certa vez alguém me dera uma cópia deste livro chamado de Alcorão, mas apenas para que pudesse apreciar a caligrafia árabe. Mesmo assim, quando meu marido chegou em casa, pegou o presente e mandou queimá-lo.

— Eu e meus sócios pagaremos uma boa quantia — emendou, revelando uma interessante soma em dinheiro.

Perguntei quanto significava o valor mencionado em francos e fiquei estarrecida com a resposta. Minha vontade foi dizer sim imediatamente, mas uma senhora de classe não age por impulso.

— Lá você será reconhecida como merece. Paris sempre é injusta com seus filhos, sobretudo depois que eles deixam de ser novidade.

Ele não sabia que estava me ofendendo, porque estava pensando exatamente nisso enquanto caminhava. Lembrei-me do dia na praia com Astruc, que agora não podia participar do acordo. Entretanto, não podia fazer nada e assustar a presa.

— Vou pensar — disse secamente.

Despedimo-nos e ele me explicou onde estava hospedado, dizendo que aguardaria a resposta até o dia seguinte, quando precisava voltar para a sua cidade. Saí dali e fui direto para o escritório de Astruc. Confesso que ver todos aqueles pôsteres de gente que apenas estava começando a ser famosa me deu uma tristeza imensa. Mas eu não podia voltar no tempo.

Ele me recebeu com a cortesia de sempre, como se eu fosse sua artista mais importante. Relatei a conversa e disse que, independente do que ocorresse, ele receberia sua comissão.

A única coisa que disse foi:

— Mas agora?

Eu não entendi direito. Achei que estava sendo ligeiramente grosseiro comigo.

— Sim, agora. Ainda tenho muito, muitíssimo a fazer nos palcos.

Ele concordou com a cabeça, me desejou felicidade e disse que não precisava de sua comissão porque talvez fosse hora de eu começar a economizar dinheiro e parar de gastar tanto com roupas.

Eu concordei e saí. Pensei que ainda estava abalado com o fracasso que tinha sido a estreia do seu teatro. Devia estar à beira da ruína. Também, lançar algo do tipo *A sagração da primavera* e colocar um plagiador como Nijínski no papel principal era pedir que os ventos contrários arrebentassem o barco que tinha construído.

No dia seguinte, entrei em contato com o estrangeiro e disse que aceitava a proposta, mas não sem antes fazer uma série de exigências que me pareciam das mais absurdas e das quais estava pronta para abrir mão. Mas, para minha surpresa, ele apenas me chamou de extravagante e disse que concordava com tudo, porque os verdadeiros artistas são assim.

Quem era a Mata Hari que embarcou em um dia chuvoso em uma das muitas estações de trem da cidade sem saber qual era o próximo passo que o destino lhe reservava, apenas confiando que ia para um país onde a língua era semelhante à do seu, de modo que jamais estaria perdida?

Qual era minha idade? Vinte? Vinte e um anos? Eu não podia ter mais que vinte e dois, embora o passaporte que carregava comigo dissesse que tinha nascido no dia 7 de agosto de 1876 e, enquanto o trem seguia em direção a Berlim, o jornal mostrava a data de 11 de julho de 1914. Mas eu não queria fazer as contas; estava mais interessada no que tinha acontecido quinze dias antes. O cruel atentado em Sarajevo onde perderam a vida o arquiduque Ferdinando e sua elegantíssima mulher, cuja única culpa foi estar ao seu lado quando um louco anarquista atirou.

De qualquer maneira, me sentia completamente diferente de todas as outras mulheres que estavam naquele vagão. Eu era o pássaro exótico que atravessava uma terra devastada pela pobreza de espírito de todos. Eu era o cisne no meio de patos que se recusaram a crescer, temendo o desconhecido. Eu olhava os casais à minha volta e me sentia absolutamente desprotegida; tantos homens estiveram comigo, e ali estava eu, sozinha, sem ninguém para segurar minha mão. É verdade que recusei muitas propostas de amor; já tivera minha experiência nesta vida e não pretendia repeti-la mais; sofrer por quem não merece e acabar vendendo meu corpo por muito menos, pela pretensa segurança de um lar.

O homem ao meu lado, Franz Olav, olhava pela janela e tinha o ar preocupado. Perguntei o que era, mas ele não me respondeu; agora que estava sob seu controle, já não precisava mais responder nada. Tudo que eu devia fazer era dançar e dançar, mesmo que já não tivesse a mesma flexibilidade de antes. Mas, com um pouco de treinamento, justamente por causa da minha paixão pelos cavalos, seguramente eu estaria pronta a tempo da estreia. A França já não me interessava mais; sugaram o melhor de mim e me atiraram para o lado, dando preferência aos artistas russos, possivelmente nascidos em outros lugares como Portugal, Noruega, Espanha, repetindo o mesmo truque que eu havia utilizado quando cheguei. Mostre algo exótico que aprendeu em sua terra e os franceses, sempre ávidos por novidades, certamente acreditarão.

Por muito pouco tempo, mas acreditarão.


À medida que o trem avançava Alemanha adentro, eu via soldados caminhando para a fronteira ocidental.

Eram batalhões e mais batalhões, gigantescas metralhadoras e canhões puxados por cavalos.

De novo tentei puxar conversa:

— O que está acontecendo?

Mas obtive apenas uma resposta enigmática:

— Seja o que for que estiver acontecendo, quero saber que podemos contar com sua ajuda. Os artistas são muito importantes nesta hora.

Não era possível que estivesse falando em guerra, pois nada tinha sido publicado a respeito e os jornais franceses estavam muito mais preocupados em noticiar as fofocas de salões ou queixar-se de tal cozinheiro que acabara de perder uma condecoração do governo. Embora um país odiasse o outro, isso era normal.

Quando um país se torna o mais importante do mundo, sempre há um preço a pagar. A Inglaterra tinha seu império onde o sol nunca se põe, mas pergunte a alguém se preferia conhecer Londres ou Paris; não tenham dúvidas de que a reposta seria a cidade cruzada pelo rio Sena, com suas catedrais, suas *boutiques*, seus teatros, pintores, músicos, e — para aqueles um pouco mais ousados — seus cabarés, famosos no mundo inteiro, como o Folies Bergère, Moulin Rouge, Lido.

Bastava perguntar o que era mais importante: uma torre com um aborrecido relógio e um rei que jamais aparecia em público, ou uma gigantesca estrutura de aço, a maior torre vertical do mundo, que começava a ser conhecida em toda a Europa pelo nome do seu criador, *Tour Eiffel*. O monumental Arco do Triunfo, a avenida Champs Élysées, que oferecia tudo de melhor que o dinheiro podia comprar.

A Inglaterra, com todo o seu poder, também odiava a França, mas nem por isso estava preparando navios de guerra.

Mas, à medida que o trem cruzava o solo alemão, tropas e mais tropas se dirigiam para o oeste. De novo insisti com Franz e de novo recebi a mesma resposta enigmática.

— Estou pronta para ajudar — disse eu. — Mas como posso fazer isso, se nem sei do que se trata?

Pela primeira vez ele desgrudou a cabeça da janela e se voltou para mim.

— Eu tampouco sei. Fui contratado para trazer você até Berlim, fazer com que dance para nossa aristocracia e algum dia, não tenho a data exata, vá até o Ministério de Relações Exteriores. Foi um admirador dali que me deu dinheiro bastante para contratá-la, apesar de ser uma das mais extravagantes artistas que conheci. Espero que me paguem o que estou investindo.

ANTES DE ENCERRAR ESTE CAPÍTULO DE MINHA HISTÓRIA, estimado e detestado dr. Clunet, gostaria de falar um pouco mais de mim mesma, porque foi para isso que comecei a escrever estas páginas que se tornaram um diário dentro do qual, em muitas de suas partes, posso ter sido traída pela memória.

O senhor acha mesmo — de todo o coração — que se fossem escolher alguém para espionar para a Alemanha, para a França ou até mesmo para a Rússia, iriam escolher alguém que estava sendo constantemente vigiada pelo público? Isso não lhe parece muito, mas muito ridículo?

Quando tomei aquele trem para Berlim, pensava que havia deixado meu passado para trás. A cada quilômetro percorrido eu me afastava mais de tudo que vivera, até mesmo das boas memórias, da descoberta do que era capaz de fazer nos palcos e fora deles, dos momentos em que cada rua e cada festa em Paris eram uma grande novidade para mim. Agora entendo que não posso fugir de mim mesma. Em 1914, em vez de voltar para a Holanda, seria facílimo encontrar alguém que tomasse conta do que tinha sobrado de minha alma, mudar mais uma vez de nome, ir para um dos muitos lugares do mundo onde meu rosto não era conhecido e começar tudo de novo.

Mas isso significava viver o resto da vida dividida em duas; aquela que tudo pode ser e a que nunca foi nada, não tem sequer uma história para contar a seus filhos e netos. Mesmo que no momento eu esteja prisioneira, meu espírito continua livre. Enquanto todos estão lutando para ver quem sobrevive no meio de tanto sangue, em uma batalha que não termina nunca, eu não preciso lutar mais, apenas esperar que gente que jamais conheci decida quem sou. Se me julgarem culpada, um dia a verdade virá à tona e o manto da vergonha será estendido em suas cabeças, na de seus filhos, seus netos, seu país.

Sinceramente, acredito que o presidente é um homem de honra.

Que meus amigos, sempre dóceis e dispostos a me ajudar quando eu tinha tudo, continuem ao meu lado agora que já não tenho nada. O dia acaba de amanhecer, escuto os pássaros e o barulho da cozinha lá embaixo. O resto das prisioneiras dorme, algumas com medo, algumas resignadas à sua própria sorte. Eu dormi até o primeiro raio de sol e esse raio de sol me trouxe a esperança da justiça, embora ele não tivesse entrado em minha cela, mas apenas mostrado sua força no pequeno pedaço de céu que consigo enxergar daqui.

Não sei por que a vida me fez passar por tanta coisa em tão pouco tempo.

Para ver se eu conseguia aguentar os momentos difíceis.

Para ver de que eu era feita.

Para me dar experiência.

Mas existiam outros métodos, outras maneiras de conseguir isso. Não precisava fazer com que me afogasse na escuridão de minha própria alma, me fazer atravessar esta floresta cheia de lobos e outros animais selvagens, sem ter uma única mão me guiando.

A única coisa que sei é que esta floresta, por mais assustadora que seja, tem um final, e eu pretendo chegar do outro lado. Serei generosa na vitória e não acusarei aqueles que tanto mentiram a meu respeito.

Sabe o que vou fazer agora, antes que escute os passos no corredor e o café da manhã chegando? Vou dançar. Vou me lembrar de cada nota musical e vou mover meu corpo de acordo com os compassos, porque isso me mostra quem sou — uma mulher livre!

Porque foi isto que sempre procurei: a liberdade. Não procurei o amor, embora ele tenha chegado e partido — e por causa dele tenha feito coisas que não devia fazer e viajei para lugares onde estava sendo procurada.

Mas não quero adiantar minha própria história; a vida está correndo muito rápido e estou com dificuldades para acompanhá-la desde aquela manhã que cheguei a Berlim.

O TEATRO FOI CERCADO E O ESPETÁCULO INTERROMPIDO justamente quando eu estava em um momento de grande concentração, dando o melhor que podia depois de tanto tempo sem me exercitar como deveria. Soldados alemães subiram ao palco e disseram que a partir daquele dia todas as apresentações em todas as casas de espetáculo estavam canceladas até segunda ordem.

Um deles leu um comunicado em voz alta:

— Estas são as palavras do nosso Kaiser: "Vivemos um momento negro na história do país, que está cercado de inimigos. Será necessário desembainhar nossas espadas. Espero que possamos usá-las bem e com dignidade".

Eu não estava entendendo nada. Fui até o camarim, coloquei meu roupão em cima da pouca roupa que estava usando e vi Franz entrar esbaforido.

— Você precisa ir embora ou será presa.

— Ir embora? Para onde? E, além do mais, eu não tinha um encontro marcado na manhã do dia seguinte com alguém do Ministério alemão das Relações Exteriores?

— Está tudo cancelado — disse ele, sem ocultar sua preocupação. — Você tem sorte de ser cidadã de um país neutro e é para lá que deve ir imediatamente.

Eu pensava em tudo na minha vida, menos em voltar para o lugar que tinha me custado tanto deixar.

Franz tirou um bolo de notas de marcos do bolso e colocou em minhas mãos.

— Esqueça o contrato de seis meses que assinamos com o Teatro Metropol. Esse foi todo o dinheiro que consegui juntar e que estava aqui no cofre do teatro. Parta imediatamente. Eu me encarrego de enviar suas roupas depois, se ainda estiver vivo. Porque, ao contrário de você, acabo de ser convocado.

Cada vez mais eu entendia menos.

— O mundo enlouqueceu — dizia ele, andando de um lado para o outro.

— A morte de um parente, por mais próximo que seja, não é uma boa explicação para mandar gente para a morte. Mas os generais mandam no mundo e querem continuar aquilo que não terminaram quando a França foi vergonhosamente derrotada há mais de quarenta anos. Acham que ainda vivem naquela época e estabeleceram entre si que um dia o país iria se vingar da humilhação. Querem impedir que se fortaleçam muito e tudo indica que, a cada dia, estão realmente mais fortes. Esta é a minha explicação para o que está acontecendo: matar a cobra antes que ela se torne forte demais e nos estrangule.

— Você está dizendo que estamos caminhando para uma guerra? Era por isso que tantos soldados se deslocavam uma semana atrás?

— Exatamente. O jogo de xadrez é mais complicado porque todos os governantes são ligados por alianças. Algo cansativo de explicar. Mas, no momento em que conversamos, nossos exércitos estão invadindo a Bélgica, Luxemburgo já se rendeu, e agora se encaminham para as regiões industriais da França com sete divisões muito bem armadas. Parece que enquanto os franceses aproveitavam a vida, nós estávamos procurando um pretexto. Enquanto os franceses construíam a Torre Eiffel, nossos homens investiam em canhões. Não creio que tudo isso vá durar muito; depois de algumas mortes em ambos os lados, sempre termina reinando a paz. Mas até lá você tem que se refugiar em seu próprio país e aguardar que tudo se acalme.

A conversa de Franz me surpreendia; ele parecia genuinamente interessado no meu bem-estar. Eu me aproximei dele e toquei seu rosto.

— Não se preocupe, tudo vai dar certo.

— Nada vai dar certo — respondeu, afastando bruscamente minha mão. — E a coisa que eu mais queria está perdida para sempre.

Ele pegou a mão que tinha afastado com tanta violência.

— Quando eu era mais jovem, meus pais me obrigaram a aprender piano. Eu sempre detestei aquilo e, assim que pude sair de casa, esqueci tudo, exceto uma coisa: a mais bela melodia do mundo se transforma em uma monstruosidade se as cordas estiverem desafinadas.

— Certo dia eu estava em Viena cumprindo o serviço militar obrigatório quando tivemos dois dias de descanso. Um cartaz mostrava uma moça que, mesmo sem vê-la pessoalmente, logo despertou em mim aquela sensação que nenhum homem deve sentir: amor à primeira vista. A moça era você. Quando entrei no teatro lotado, pagando um ingresso que custava mais do que eu ganhava a semana inteira, vi que tudo que estava desafinado em mim, minha relação com meus pais, com o exército, com o país, com o mundo, de repente se harmonizava só de ver essa moça dançar. Não era a música exótica ou o erotismo que pareciam estar presentes no palco e na plateia, era a moça.

Eu sabia de quem ele estava falando, mas não quis interromper.

— Devia ter lhe dito tudo isso antes, mas achei que teria tempo. Hoje sou um bem-sucedido empresário de teatro, talvez motivado por tudo a que assisti naquela noite em Viena. Amanhã me apresentarei ao capitão responsável pela minha unidade. Fui várias vezes a Paris para assistir aos seus shows. Vi que, apesar de todo o seu esforço, Mata Hari estava perdendo terreno para um bando de pessoas que nem sequer merecem ser chamadas de "dançarinas" ou "artistas". Resolvi trazê-la para um lugar onde pudessem apreciar seu trabalho; e fiz tudo isso por amor, apenas por amor, um amor jamais correspondido, mas qual importância tem isso? O que conta mesmo é estar perto da pessoa amada e esse era o meu objetivo.

— Um dia antes de tomar coragem para abordá-la em Paris, um oficial da embaixada entrou em contato comigo. Disse que agora você costumava sair com um deputado que, segundo o nosso serviço de espionagem, deveria ser o próximo ministro da Guerra.

— Mas ele já foi.

— Segundo nosso serviço de espionagem, ele voltará para o cargo que antes ocupava. Já tinha encontrado muitas vezes esse oficial, bebíamos juntos e frequentávamos a noite parisiense. Em uma dessas noites, bebi um pouco demais e falei horas a fio sobre você. Ele sabia que eu estava apaixonado e pediu que a trouxesse até aqui, pois íamos precisar dos seus serviços muito em breve.

— Meus serviços?

— Como alguém que tem acesso ao círculo íntimo do governo.

O que ele estava querendo dizer, sem ter coragem de mencionar a palavra, era: espiã. Algo que eu nunca faria em minha vida. Como deve estar lembrado, excelentíssimo dr. Clunet, eu disse isso naquela farsa de julgamento: "Prostituta, sim. Espiã, jamais!".

— Por isso, saia direto do teatro e vá para a Holanda. O dinheiro que lhe dei é mais do que suficiente. Em breve essa viagem será impossível. E mais terrível ainda seria se ela fosse possível, porque significaria que nós conseguimos infiltrar alguém em Paris.

Eu já estava assustada o bastante, mas não o suficiente para dar-lhe um beijo e agradecer o que estava fazendo por mim.

Ia mentir, dizendo que estaria esperando por ele quando a guerra acabasse, mas a honestidade desarma qualquer mentira.

Realmente, pianos não podem desafinar nunca. O verdadeiro pecado não é aquilo que nos ensinaram; é viver longe da harmonia absoluta. É mais poderosa que as verdades e mentiras que dizemos todos os dias. Virei-me para ele e pedi gentilmente que se retirasse, pois precisava me vestir. E disse:

— O pecado não foi criado por Deus, foi criado por nós quando tentamos transformar o que era absoluto em algo relativo. Deixamos de ver o todo e passamos a ver apenas uma parte; e essa parte vem carregada de culpa, regras, bons lutando contra os maus e cada lado achando que está certo.

Surpreendi-me com minhas próprias palavras. Talvez fosse o medo que me havia afetado mais do que imaginava. Mas minha cabeça parecia estar longe dali.

— Tenho um amigo que é cônsul da Alemanha no seu país. Ele poderá ajudá-la a refazer sua vida. Mas cuidado: assim como eu, é bem possível que tente fazer com que você ajude nossos esforços de guerra.

De novo evitou a palavra espiã. Eu era uma mulher experiente o bastante para escapar dessas armadilhas. Quantas vezes tinha feito isso em minhas relações com os homens?

Levou-me até a porta e me acompanhou à estação de trem. No caminho, passamos por uma imensa manifestação em frente ao palácio do Kaiser, onde homens de todas as idades, com os punhos cerrados para cima, gritavam:

— Alemanha acima de tudo!

Franz acelerou o carro.

— Se alguém nos parar, fique quieta e eu me encarrego da conversa. Entretanto, se lhe perguntarem alguma coisa, responda apenas "sim" ou "não", demonstre um ar de tédio e jamais ouse falar na língua do inimigo. Quando chegar à estação, não demonstre medo em circunstância alguma; continue sendo quem você é.

Sendo quem eu sou? Como poderia ser quem eu sou, se não sabia exatamente quem era? A dançarina que tomou a Europa de assalto? A dona de casa que se humilhava nas Índias Holandesas? A amante dos poderosos? A mulher chamada de "artista vulgar" pela imprensa que, pouco tempo antes, a admirava e idolatrava?

Chegamos à estação, Franz me deu um beijo respeitoso na mão e pediu que eu tomasse o primeiro trem. Era a primeira vez na minha vida que eu viajava sem bagagem; até mesmo quando cheguei a Paris carregava alguma coisa comigo.

Aquilo, por mais paradoxal que pudesse parecer, me deu uma imensa sensação de liberdade. Em breve eu teria minhas roupas comigo mas, enquanto isso, estava dando vida a mais um dos personagens que a vida impôs que eu estrelasse: a mulher que não tem absolutamente nada, a princesa que está longe do seu castelo, sempre consolada pelo fato de que, em breve, estará de volta.

Depois de comprar o bilhete para Amsterdam, descobri que ainda faltavam algumas horas até o trem partir e, por mais discreta que quisesse parecer, notei que todos estavam me olhando. Só que era um tipo de olhar diferente — não de admiração ou inveja, mas de curiosidade. As plataformas estavam cheias e, ao contrário de mim, todo mundo parecia carregar suas casas em malas, sacos, trouxas feitas de tapete. Escutei uma mãe dizendo para a filha a mesma coisa que Franz me dissera pouco tempo antes: "Se aparecer algum guarda, fale em alemão".

Então, não eram exatamente pessoas que estavam pensando em ir para o campo, mas possíveis "espiões", refugiados que voltavam para seus países.

Resolvi não conversar com ninguém, evitando qualquer contato visual, mas, mesmo assim, um senhor mais velho se aproximou, dizendo:

— Não quer vir dançar com a gente?

Será que tinha descoberto minha identidade?

— Estamos ali, no final da plataforma. Venha!

Eu o segui instintivamente, sabendo que estaria mais protegida se me misturasse com estranhos. Logo me vi cercada por ciganos e, por impulso, segurei minha bolsa mais perto do corpo. Havia medo em seus olhos, mas eles pareciam não se entregar a isso, como se estivessem acostumados a ter que mudar de expressão a toda hora. Tinham formado um círculo, batiam palmas e três mulheres dançavam no centro.

— Quer dançar também? — perguntou o senhor que havia me trazido até ali.

Respondi que nunca fizera isso na minha vida. Ele insistiu e eu expliquei que, mesmo que desejasse tentar, o vestido não me dava liberdade de movimentos. Ele se deu por satisfeito, começou a bater palmas e pediu que eu fizesse o mesmo.

— Somos ciganos vindos dos Bálcãs — comentou comigo. — Pelo que soube, foi ali que a guerra começou. Temos que sair daqui o mais rápido possível.

Ia explicar que não, que a guerra não começou nos Bálcãs e que tudo foi um pretexto para acender o barril de pólvora que parecia estar prestes a explodir havia muitos anos. Mas era melhor manter a boca fechada, como Franz recomendara.

— ... mas a guerra vai acabar — disse uma mulher com cabelos e olhos negros, muito mais bonita do que aparentava, escondida em suas roupas simplórias. — Todas as guerras terminam, muitos lucram às custas dos mortos e, enquanto isso, nós seguimos viajando sempre para longe dos conflitos, e os conflitos insistem em nos perseguir.

Perto de nós, um grupo de crianças brincava, como se nada daquilo tivesse importância e viajar fosse sempre uma aventura. Para elas, os dragões estavam em constante batalha uns com os outros, os cavaleiros lutavam entre si vestidos de aço e munidos de grandes lanças, em um mundo onde um menino que não estivesse perseguindo o outro seria extremamente sem graça.

A cigana que havia falado comigo se dirigiu até elas e pediu que fizessem menos barulho, pois não podiam chamar muito a atenção. Nenhuma delas deu a menor importância.

O MENDIGO QUE PARECIA CONHECER TODOS OS que passavam pela rua principal cantava:

*O pássaro na gaiola pode cantar sobre liberdade, mas continuará a viver preso.*
*Thea aceitou viver na gaiola, depois quis escapar, mas ninguém ajudou porque ninguém entendeu.*

Eu não tinha a menor ideia de quem era Thea; tudo o que sabia é que precisava chegar o mais cedo possível ao consulado e apresentar-me a Karl Cramer, a única pessoa que conhecia em Haia. Tinha passado a noite em um hotel de quinta categoria, com medo de que me reconhecessem e me expulsassem dali. Haia fervilhava de gente que parecia estar em outro mundo. Pelo visto, as notícias da guerra não tinham chegado por lá; ficaram presas na fronteira junto com outros milhares de refugiados, desertores, franceses que temiam represálias, belgas que fugiam da frente de batalha, todos parecendo esperar pelo impossível.

Pela primeira vez estava feliz em ter nascido em Leeuwarden e ter um passaporte holandês. Ele fora a minha salvação. Enquanto esperava para ser revistada — e nesse momento fiquei contente de não ter nenhuma bagagem —, um homem que nem pude ver direito me atirou um envelope. Estava endereçado a alguém, mas o oficial encarregado da fronteira viu o que ocorrera, abriu a carta, tornou a fechá-la e me entregou sem nenhum comentário. Ato contínuo, chamou seu colega alemão e apontou na direção do homem, que já sumia na escuridão:

— Um desertor.

O oficial alemão saiu em seu encalço; a guerra mal tinha começado e as pessoas começavam a debandar? Vi quando levantou seu rifle e apontou na direção da figura que corria. Olhei para o outro lado quando disparou. Quero viver o resto de minha vida com a sensação de que ele conseguiu escapar.

Estava endereçado a uma mulher e imaginei que talvez esperasse que eu a colocasse no correio assim que chegasse a Haia.

*Vou sair daqui seja qual for o preço — ainda que minha própria vida —, já que posso ser fuzilado como desertor se me pegarem no caminho. Pelo visto, a guerra deve estar começando agora; os primeiros soldados franceses apareceram do outro lado e foram imediatamente dizimados por uma única rajada de metralhadora que eu — justamente eu — disparei a mando do capitão.*

*Pelo visto, isso vai acabar logo, mas mesmo assim minhas mãos estão manchadas de sangue, e o que fiz uma vez não poderei fazer a segunda; não poderei marchar com meu* batalhão até Paris, como todos comentam animados. Não poderei celebrar as vitórias que nos esperam porque tudo isso me parece uma loucura. Quanto mais eu penso, menos entendo o que está acontecendo. Ninguém diz nada, porque creio que ninguém sabe a resposta.

Por incrível que possa parecer, temos um serviço de correios aqui. Eu poderia tê-lo utilizado, mas pelo que soube toda correspondência passa pelos censores antes do envio. Esta carta não é para dizer o quanto te amo — você já sabe disso — nem para falar da bravura de nossos soldados, o que é sabido em toda a Alemanha. Esta carta é meu testamento. Estou escrevendo exatamente embaixo da árvore onde, seis meses atrás, eu pedi sua mão em casamento e você aceitou. Fizemos planos, seus pais ajudaram com o enxoval, eu procurei uma casa com um quarto extra — onde pudéssemos ter nosso primeiro e tão esperado filho — e, de repente, estou de volta ao mesmo lugar, tendo passado três dias cavando trincheiras, com lama dos pés à cabeça e com o sangue de cinco ou seis pessoas que nunca vi antes, que jamais me fizeram qualquer mal. Chamam isso de "guerra justa", para proteger nossa dignidade; como se um campo de batalha fosse o lugar para isso.

Quanto mais assisto aos primeiros tiros e sinto o cheiro de sangue dos primeiros mortos, mais me convenço que a dignidade de um ser humano não pode conviver com isso. Preciso terminar agora porque acabam de me chamar. Mas, assim que anoitecer, saio daqui — para a Holanda ou para a morte.

Penso que a cada dia que passa serei menos capaz de descrever o que está acontecendo. Portanto, prefiro sair daqui *esta noite e achar uma boa alma que coloque este envelope no correio para mim.*

*Com todo o meu amor,*

*Jorn.*

Os deuses quiseram que, assim que eu chegasse a Amsterdam, encontrasse na plataforma um dos meus cabeleireiros em Paris, vestido em uniforme de guerra. Era conhecido por sua técnica de colocar hena nos cabelos femininos de tal maneira que o colorido sempre parecia natural e agradável aos olhos.

— Van Staen!

Ele olhou na direção de onde vinha o grito; seu rosto transformou-se em uma máscara de espanto e, imediatamente, começou a afastar-se.

— Maurice, sou eu, Mata Hari!

Mas ele continuava se afastando. Aquilo me revoltou. Um homem nas mãos do qual eu tinha deixado milhares de francos agora fugia de mim? Comecei a andar em sua direção e seu passo acelerou. Eu também acelerei o meu e ele fez menção de correr, mas um cavalheiro que vira toda a cena segurou-o pelo braço, dizendo:

— Aquela mulher está te chamando!

Ele se resignou ao seu destino. Parou e esperou que eu chegasse perto. Em voz baixa, pediu-me que não tornasse a mencionar seu nome.

— O que você está fazendo aqui?

Contou-me, então, que nos primeiros dias de guerra, imbuído de espirito patriótico, resolvera alistar-se para defender a Bélgica, seu país. Mas, assim que escutou o estampido dos primeiros canhões, imediatamente cruzou para a Holanda e pediu asilo. Eu fingi certo desdém.

— Preciso que faça meu cabelo.

Na verdade, eu precisava desesperadamente ganhar de novo minha autoestima até que minha bagagem chegasse. O dinheiro que Franz me dera era o suficiente para manter-me um ou dois meses, enquanto pensava em uma maneira de voltar a Paris. Perguntei onde podia me hospedar provisoriamente, já que tinha pelo menos um amigo ali e ele iria me ajudar enquanto as coisas se acalmavam.

Um ano depois, tinha me mudado para Haia graças a minha amizade com um banqueiro que conhecera em Paris e que me alugara uma casa, onde costumávamos nos encontrar. Em determinado momento, ele parou de pagar o aluguel, sem nunca dizer exatamente por quê, talvez por considerar meus gostos "caros e extravagantes", como disse certa vez. Recebeu como resposta: "Extravagante é um homem dez anos mais velho que eu querer recuperar a juventude perdida entre as pernas de uma mulher".

Ele tomou aquilo como ofensa pessoal — era essa a intenção — e pediu que eu me retirasse da casa. Haia já era um lugar monótono quando a visitei uma única vez na infância; agora — com racionamentos e ausência de vida noturna por causa da guerra que grassava com cada vez mais furor nos países vizinhos — havia se tornado um asilo de velhos, um ninho de espiões e um imenso bar onde feridos e desertores iam lamentar suas mágoas, embriagar-se e entrar em combates corporais que geralmente terminavam com morto. Tentei organizar uma série de apresentações teatrais baseadas em danças do antigo Egito — algo que poderia fazer com facilidade, já que ninguém sabia como se dançava no antigo Egito e os críticos não poderiam contestar a autenticidade de nada. Mas os teatros andavam sem público e ninguém aceitou minha oferta.

Paris parecia um sonho cada vez mais distante. Mas era o único norte de minha vida, a única cidade onde me sentia um ser humano com tudo que isso significa. Lá eu poderia viver o que era permitido e o que era pecado. As nuvens eram diferentes, as pessoas andavam com elegância, as conversas eram mil vezes mais interessantes que as desinteressantes discussões em salões de cabeleireiro de Haia, onde as pessoas praticamente não conversavam, com medo de que estivessem sendo ouvidas por alguém e, mais tarde, estarem sujeitas a uma denúncia na polícia por denegrir e comprometer a imagem de neutralidade do país. Por algum tempo procurei me informar sobre Maurice Van Staen, perguntei sobre ele a algumas poucas amigas de colégio que haviam se mudado para Amsterdam, mas ele parecia ter sumido da face da Terra com suas técnicas de hena e seu ridículo sotaque imitando francês.

A minha única saída agora era conseguir que os alemães me levassem até Paris. E, por causa disso, resolvi encontrar-me com o amigo de Franz enviando antes um bilhete explicando quem era e pedindo que me ajudasse a realizar meu sonho de voltar à cidade onde tinha passado grande parte de minha vida. Tinha de novo perdido os quilos que ganhara durante aquele longo e tenebroso período; as minhas roupas jamais chegaram à Holanda e, mesmo que chegassem agora, não seriam mais bem-vindas porque as revistas mostravam que a moda havia mudado, mas o meu "benfeitor" me comprara tudo novo. Sem a qualidade de Paris, claro, mas pelo menos com costuras que não rasgavam ao primeiro movimento.

QUANDO ENTREI NO ESCRITÓRIO, vi um homem cercado de todos os luxos que eram negados aos holandeses: cigarros e charutos importados, bebidas vindas dos quatro cantos da Europa, queijos e frios que estavam racionados nos mercados da cidade. Sentado do outro lado da mesa em mogno, com filigranas de ouro, estava um homem bem vestido e mais educado do que os alemães que eu havia conhecido. Conversamos algumas amenidades e ele me perguntou por que tinha demorado tanto para visitá-lo.

— Não sabia que estava sendo aguardada. Franz...

— Ele me avisou que viria um ano atrás.

Levantou-se, perguntou qual bebida eu gostaria de tomar. Escolhi licor de anis, que me foi servido pelo próprio cônsul em copos de cristal da Boêmia.

— Infelizmente, Franz já não está entre nós; morreu durante um ataque covarde dos franceses.

Pelo pouco que eu sabia, a rápida investida alemã em agosto de 1914 tinha sido detida na fronteira da Bélgica. A ideia de chegar a Paris rapidamente, como dizia a carta que me tinha sido confiada, era agora um sonho distante.

— Tínhamos tudo muito bem planejado! Estou aborrecendo-a com isso?

Pedi que continuasse. Sim, estava me aborrecendo, mas eu queria chegar a Paris o mais rápido possível e sabia que sua ajuda era necessária. Desde que cheguei a Haia tive que aprender algo que me foi extremamente difícil: a arte da paciência.

O cônsul notou o olhar de tédio e procurou resumir ao máximo o que acontecera até então. Apesar de terem enviado sete divisões para o oeste e de terem avançado com velocidade em território francês, chegando a cinquenta quilômetros de Paris, os generais não tinham a menor ideia de como o Comando Geral havia organizado a ofensiva — o que provocou um recuo para onde estavam agora, perto de um território na fronteira com a Bélgica. Há praticamente um ano não se moviam sem que soldados de um lado ou do outro fossem sistematicamente massacrados. Mas ninguém se rendia.

— Quando essa guerra acabar, eu tenho certeza de que cada vilarejo da França, não importa quão pequeno seja, terá um monumento aos seus mortos. Cada vez enviam mais pessoas para serem cortadas ao meio por nossos canhões.

A expressão "cortadas ao meio" me chocou e ele notou meu ar de repulsa.

— Digamos que quanto mais cedo este pesadelo chegar ao final, melhor. Mesmo com a Inglaterra do lado deles e mesmo que nossos estúpidos aliados, os austríacos, estejam agora ocupadíssimos em deter o avanço russo, nós acabaremos vencendo. Para isso, entretanto, precisamos de sua ajuda.

De minha ajuda? Para interromper uma guerra que, segundo o que tinha lido ou escutado nos poucos jantares que frequentei em Haia, já havia custado a vida de milhares de pessoas? Aonde ele queria chegar?

E, de repente, me lembrei da advertência de Franz, reverberando em minha cabeça: "Não aceite nada que Cramer possa vir a lhe propor".

Entretanto, minha vida não podia piorar ainda mais. Estava desesperada por dinheiro, sem nenhum lugar para dormir e com dívidas se acumulando. Sabia o que iria me propor, mas tinha certeza de que conseguiria encontrar minha maneira de escapar da armadilha. Já tinha escapado de muitas em minha vida.

Pedi que fosse direto ao ponto. O corpo de Karl Cramer ficou rígido e seu tom mudou bruscamente. Eu já não era uma visitante a quem devia um pouco de cortesia antes de abordar assuntos mais importantes; começava a me tratar como sua subordinada.

— Soube pelo bilhete que me enviou que seu desejo é ir para Paris. Posso conseguir isso. Posso conseguir também uma ajuda de custo de vinte mil francos.

— Não é o suficiente — respondi.

— Essa ajuda será reajustada à medida que a qualidade de seu trabalho for se tornando visível e o período de testes for concluído. Não se preocupe; nossos bolsos estão forrados de dinheiro para isso. Em troca, preciso de todo tipo de informação que possa conseguir nas rodas que frequenta.

Frequentava, pensei comigo mesma. Não sei como seria recebida em Paris um ano e meio depois; sobretudo porque a última notícia que tiveram de mim era a de que estava viajando para a Alemanha, para uma série de espetáculos.

Cramer tirou três pequenos frascos da gaveta e me estendeu.

— Isso é tinta invisível. Sempre que tiver novidades use e envie ao capitão Hoffman, que ficará encarregado do seu caso. Jamais assine com seu nome.

Pegou uma lista, percorreu-a de cima a baixo e fez uma marca ao lado de alguma coisa.

— Seu nome de guerra será H21. Lembre-se: sua assinatura será sempre H21.

Eu estava sem saber se aquilo era engraçado, perigoso ou estúpido. Pelo menos, poderiam ter escolhido um nome melhor e não uma sigla que mais parecia o número de um assento de trem.

De outra gaveta tirou os vinte mil francos em espécie, entregando-me o maço de cédulas.

— Os meus subordinados, na sala da frente, cuidarão de detalhes como passaportes e salvo-condutos. Deve imaginar que é impossível cruzar uma fronteira em guerra. Portanto, a única alternativa será viajar até Londres e dali à cidade para onde, em breve, marcharemos sob o imponente, mas irreal, Arco do Triunfo.

Saí do escritório de Cramer com tudo o que precisava: dinheiro, dois passaportes e salvo-condutos. Quando passei pela primeira ponte, esvaziei o conteúdo dos frascos de tinta invisível — coisa para crianças que adoram brincar de guerra, mas que jamais imaginei fosse levada tão a sério por adultos. Segui até o consulado francês e pedi ao encarregado de negócios para entrar em contato com o chefe da contraespionagem. Ele me atendeu com ar descrente.

— E por que quer isso?

Disse que era um assunto particular e que jamais conversaria com subalternos a respeito. Meu ar deve ter sido tão sério que eu logo estava ao telefone com seu superior, que me atendeu sem revelar seu nome. Disse que tinha acabado de ser recrutada pela espionagem alemã, dei todos os detalhes e pedi um encontro com ele assim que chegasse a Paris, meu próximo destino. Ele perguntou meu nome, disse que era um fã de meu trabalho e que se encarregariam de me contatar assim que eu chegasse à Cidade Luz. Expliquei que não sabia ainda em que hotel iria ficar.

— Não se preocupe; nosso ofício é justamente descobrir estas coisas.

A vida voltara a ser interessante, embora eu só pudesse descobrir quando saísse dali. Para minha surpresa, quando cheguei ao hotel, havia um envelope me pedindo que entrasse em contato com um dos diretores do Teatro Real. Minha proposta havia sido aceita e eu estava convidada para mostrar ao público as danças históricas egípcias, desde que essas não envolvessem nenhum episódio de nudez. Achei coincidência demais, pois não sabia se era uma ajuda dos alemães ou dos franceses.

Resolvi aceitar. Dividi as danças egípcias em Virgindade, Paixão, Castidade e Fidelidade. Os jornais locais teceram elogios, mas depois de oito apresentações eu já estava de novo morrendo de tédio e sonhando com o dia de meu grande retorno a Paris.

Já em Amsterdam, onde precisava esperar oito horas pela conexão que me levaria à Inglaterra, resolvi sair um pouco para caminhar e cruzei de novo com o mendigo que cantava aqueles estranhos versos sobre Thea. Ia seguir adiante, mas ele interrompeu sua canção.

— Por que a senhora está sendo seguida?

— Porque sou bonita, sedutora e famosa — respondi.

Mas ele disse que não era esse tipo de gente que estava atrás de mim, mas sim dois homens que assim que notaram que ele os tinha visto desapareceram misteriosamente.

Não me lembro da última vez que conversei com um mendigo; isso era completamente inaceitável para uma dama da sociedade, embora os invejosos me vissem como artista ou prostituta.

— Embora não possa parecer, aqui a senhora está no paraíso. Pode ser entediante, mas qual paraíso não é? Sei que deve estar em busca de aventura e espero que perdoe minha impertinência, mas as pessoas normalmente são ingratas com o que possuem.

Eu agradeci o conselho e segui meu caminho. Que

tipo de paraíso era esse onde nada, absolutamente nada, de interessante acontecia? Eu não estava procurando a felicidade, mas aquilo que os franceses chamavam de *la vraie vie*, a verdadeira vida. Com seus momentos de beleza indizível e depressão profunda, com as lealdades e traições, com os medos e os momentos de paz. Quando o mendigo me disse que estava sendo seguida, imaginei-me agora em um papel muito mais importante do que sempre tinha desempenhado: eu era alguém que podia mudar o destino do mundo, fazer com que a França ganhasse a guerra enquanto fingia que estava espionando para os alemães. Os homens acham que Deus é um matemático e não é. Se fosse alguma coisa, seria um jogador de xadrez, antecipando o movimento do oponente e já preparando sua estratégia para derrotá-lo.

E essa era eu, Mata Hari. Para quem cada momento de luz e cada momento de trevas significavam a mesma coisa. Já tinha sobrevivido ao meu casamento, à perda da guarda da minha filha — embora soubesse, através de terceiros, que ela tinha uma de minhas fotos coladas em sua lancheira — e em momento algum me queixei e fiquei inerte no mesmo lugar. Enquanto atirava pedras com Astruc nas costas da Normandia, me dei conta de que sempre fui uma guerreira, enfrentando meus combates sem qualquer amargura; eles faziam parte da vida.

As oito horas de espera na estação passaram rápido e logo estava de novo no trem que me levava para Brighton. Quando desembarquei na Inglaterra, fui submetida a um rápido interrogatório; pelo visto, eu já era uma mulher visada, talvez por estar viajando sozinha, talvez por ser quem era, ou, o que me parecia possível, pelo serviço secreto francês ter me visto entrar no consulado alemão e alertado todos os seus aliados. Ninguém sabia de meu telefonema e da minha devoção ao país para onde me dirigia.

Tornaria a viajar muito pelos próximos dois anos, percorrendo países que ainda não conhecia, retornando à Alemanha para ver se era capaz de recuperar minhas coisas, sendo duramente interrogada pelos oficiais ingleses, embora todos, absolutamente todos, soubessem que eu trabalhava para a França, continuando a encontrar os homens mais interessantes, frequentando os restaurantes mais famosos e, finalmente, cruzando os olhos com meu único e verdadeiro amor, um russo pelo qual eu estava disposta a fazer tudo, mas que ficou cego graças ao gás de mostarda que tem sido usado indiscriminadamente nesta guerra.

Eu fui para Vittel arriscando tudo por causa dele; a minha vida tinha ganhado outro sentido. Costumava recitar todas as noites, quando nos deitávamos, um trecho do *Cântico dos cânticos*.

De noite, em minha cama, busquei aquele a quem ama a minha alma; busquei-o, e não o achei.

Levantar-me-ei, pois, e rodearei a cidade; pelas ruas e pelas praças buscarei aquele a quem ama a minha alma; busquei-o, e não o achei.

*Acharam-me os guardas, que rondavam pela cidade; eu lhes perguntei: vistes aquele a quem ama a minha alma?*

*Apartando-me eu um pouco deles, logo achei aquele a quem ama a minha alma; agarrei-me a ele, e não o larguei.*

E, quando ele se contorcia de dor, eu passava a noite em claro cuidando dos seus olhos e das queimaduras do seu corpo.

Até que a mais dura das espadas transpassou meu coração quando o vi sentado no banco de testemunhas, dizendo que jamais se apaixonaria por uma mulher vinte anos mais velha que ele; seu único interesse era ter alguém para cuidar de seus ferimentos.

E, pelo que me contou depois, dr. Clunet, foi essa fatídica busca por um passe que me permitisse ir até Vittel que despertou a suspeita do maldito Ladoux.

A partir daqui, dr. Clunet, não tenho mais nada a acrescentar a essa história. O senhor sabe exatamente o que aconteceu, como aconteceu.

E, em nome de tudo que sofri injustamente, das humilhações que estou sendo obrigada a aguentar, da difamação pública que sofri no Tribunal do Terceiro Conselho de Guerra, das mentiras de ambos os lados — como se alemães e franceses estivessem se matando uns aos outros, mas não pudessem deixar em paz uma mulher cujo maior pecado foi ter uma mente livre em um mundo onde as pessoas se tornam cada vez mais fechadas. Em nome de tudo isso, dr. Clunet, caso o último apelo ao presidente da República seja recusado, peço-lhe, por favor, que guarde esta carta e a entregue à minha filha Non quando ela já estiver pronta para entender tudo que se passou.

Certa vez, quando estava em uma praia da Normandia com o meu então empresário Astruc — que, desde que cheguei a Paris, vi apenas uma vez —, ele dizia que o país passava por uma vaga de antissemitismo e não podia ser visto em minha companhia. Ele me falou de um escritor, Oscar Wilde. Não foi difícil encontrar *Salomé*, a peça à qual se referia, mas ninguém ousou apostar um único centavo na montagem que eu estava prestes a produzir — embora sem nenhum dinheiro, eu ainda conhecia gente influente.

Por que menciono isso? Por que terminei me interessando pela obra desse escritor inglês que terminou seus dias aqui em Paris, foi enterrado sem que nenhum amigo comparecesse à cerimônia e sobre quem a única acusação que pesava era ter sido amante de um homem? Oxalá essa fosse também minha condenação, porque no decorrer destes anos estive na cama de homens famosos e de suas esposas, todos em busca insaciável de prazeres. Ninguém nunca me acusou, é claro, porque seriam eles minhas testemunhas.

Mas, voltando ao escritor inglês, hoje amaldiçoado em seu país e ignorado no nosso, em minhas constantes viagens, terminei lendo muito de seu trabalho para teatro e descobri que também havia escrito contos para crianças.

*Um estudante quer convidar sua bem-amada para dançar, mas ela recusa, dizendo que só aceitaria se ele trouxesse* uma rosa vermelha. Ocorre que, no lugar onde o estudante vivia, todas as rosas eram amarelas ou brancas.

O rouxinol escutou a conversa. Vendo sua tristeza, decidiu ajudar o pobre rapaz. Primeiro, pensou em cantar algo bonito, mas logo concluiu que seria muito pior — além de estar sozinho, ficaria melancólico.

Uma borboleta que passava perguntou o que estava acontecendo.

"Ele sofre por amor. Precisa encontrar uma rosa vermelha."

"Que ridículo sofrer por amor", respondeu a borboleta.

Mas o rouxinol estava decidido a ajudá-lo. No meio de um imenso jardim havia uma roseira, repleta de rosas brancas.

"Entregue-me uma rosa vermelha, por favor."

Mas a roseira disse que era impossível, que procurasse outra — cujas rosas antes eram vermelhas e agora tinham se tornado brancas.

O rouxinol fez o que lhe tinha sido sugerido. Voou para longe e encontrou a velha roseira. "Preciso de uma flor vermelha", pediu.

"Estou velha demais para isso", foi a resposta. "O inverno congelou minhas veias, o sol desbotou minhas pétalas."

"Uma apenas", implorou o rouxinol. "Deve haver um jeito!"

Sim, havia um jeito. Mas era tão terrível que ela não queria contar.

"Não tenho medo. Diga-me o que posso fazer para ter uma rosa vermelha. Uma única rosa vermelha."

"Volte aqui durante a noite e cante para mim a mais linda melodia que os rouxinóis conhecem, enquanto pressiona seu peito contra um de meus espinhos. O sangue irá subir pela minha seiva e tingir a rosa."

E o rouxinol fez isso aquela noite, convencido de que valia a pena sacrificar sua vida em nome do amor. Assim que apareceu a lua, ele apertou seu peito contra o espinho e começou a cantar. Primeiro a música de um rapaz e uma mulher que se apaixonam. Em seguida, como o amor justifica qualquer sacrifício. E assim, enquanto a lua cruzava o céu, o rouxinol cantava e a mais linda rosa da roseira ia sendo tingida por seu sangue e se transformando.

"Mais rápido", disse a roseira em determinado momento. "O sol vai nascer daqui a pouco."

O rouxinol apertou mais ainda o peito e, neste momento, o espinho atingiu seu coração. Mesmo assim ele continuou cantando, até que o trabalho estivesse completo.

Exausto, sabendo que estava prestes a morrer, colheu a mais linda de todas as rosas vermelhas e foi entregá-la ao estudante. Chegou em sua janela, depositou a flor e morreu.

O estudante ouviu o ruído, abriu a janela e ali estava a coisa com que mais sonhava no mundo. Estava amanhecendo; ele pegou a rosa e saiu em disparada até a casa da mulher amada.

"Aqui está o que me pediu", disse, suando e contente ao mesmo tempo.

"Não era exatamente isso que eu queria", respondeu a moça. "É grande demais e ofuscará meu vestido. Além disso, já recebi outra proposta para o baile desta noite."

Desesperado, o rapaz saiu, jogou a rosa na sarjeta, que foi imediatamente esmagada por uma carruagem que ia passando. E voltou para seus livros, que jamais lhe haviam pedido aquilo que não conseguia dar.

Essa foi a minha vida; sou o rouxinol que deu tudo e morreu enquanto fazia isso.

Atenciosamente,

Mata Hari

(Antes conhecida por um nome escolhido por seus pais, Margaretha Zelle, e depois obrigada a adotar seu nome de casada, Madame MacLeod, sendo finalmente convencida pelos alemães, em troca de miseráveis vinte mil francos, a passar a assinar tudo que escrevia como H21.)

# PARTE III

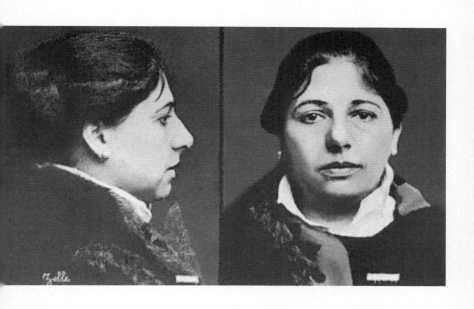

PARIS, 14 DE OUTUBRO DE 1917

Estimada Mata Hari,

Embora você ainda não saiba, seu pedido de perdão foi negado pelo presidente da República. Portanto, amanhã de madrugada irei ao seu encontro e será esta a última vez que nos veremos.

Tenho onze longas horas diante de mim e sei que não conseguirei dormir um único segundo esta noite. Portanto, escrevo uma carta que não será lida por quem ela está sendo destinada, mas que pretendo apresentar como peça final ao inquérito; mesmo que isso seja absolutamente inútil do ponto de vista jurídico, pelo menos espero recuperar sua reputação ainda em vida.

Não pretendo justificar minha incompetência na defesa, porque na verdade não fui o péssimo advogado que muitas vezes você me acusou em suas cartas. Quero apenas reviver — nem que seja para absolver a mim próprio de um pecado que não cometi — meu calvário dos últimos meses. É um calvário que não vivi sozinho; eu estava de todas as maneiras tentando salvar a mulher que amei um dia, embora jamais tenha confessado isso.

Trata-se de um calvário que está sendo vivido por toda a nação; nos dias de hoje não há uma única família neste país que não tenha perdido um filho na frente de batalha. E, por causa disso, cometemos injustiças, atrocidades, coisas que jamais imaginei acontecer em meu país. No momento em que escrevo, várias batalhas que parecem não terminar nunca estão sendo travadas há duzentos quilômetros daqui. A maior e mais sangrenta delas começou com uma ingenuidade de nossa parte; achamos que duzentos mil bravos soldados seriam capazes de derrotar mais de um milhão de alemães que caminhavam com tanques e artilharia pesada em direção à capital. Mas apesar de termos resistido bravamente, à custa de muito sangue, milhares de mortos e feridos, o front da guerra continua exatamente onde estava em 1914, quando os alemães iniciaram as hostilidades.

Querida Mata Hari, seu maior erro foi ter encontrado o homem errado para fazer a coisa certa. Georges Ladoux, o chefe da contraespionagem que entrou em contato com você assim que voltou a Paris, era um homem marcado pelo governo. Tinha sido um dos responsáveis pelo caso Dreyfus, o erro judiciário que até hoje nos envergonha — acusar um homem inocente à degradação e ao exílio. Depois de ser desmascarado por isso, passou a tentar justificar seus atos dizendo que seu trabalho "não se limitava a saber os próximos passos do inimigo, mas evitar que ele abalasse a moral de nossos amigos". Procurou uma promoção que lhe foi negada. Tornou-se um homem amargo, que precisava com urgência de uma causa célebre para voltar a ser bem-visto nos salões governamentais. E quem melhor para isso que uma atriz conhecida por todo mundo, invejada pelas mulheres dos oficiais, detestada pela elite que, anos antes, costumava deificá-la?

O povo não pode ficar pensando apenas nas mortes que ocorriam em Verdun, Marne, Somme — precisa ser distraído com algum tipo de vitória. E Ladoux, sabendo disso, começou a tecer sua degradante teia no momento em que a viu pela primeira vez. Descreveu em suas notas o primeiro encontro:

*Entrou em meu escritório como quem entra em um palco, desfilando uma roupa de gala e tentando me impressionar. Eu não a convidei para sentar, mas ela puxou uma cadeira e se instalou diante da minha escrivaninha de trabalho. Depois de me contar a proposta que lhe tinha sido feita pelo cônsul alemão em Haia, disse que estava disposta a trabalhar pela França. Também fez troça dos meus agentes que a seguiam, dizendo:*

*"Será que seus amigos lá embaixo podem me deixar por algum tempo? Cada vez que saio de meu hotel, eles entram e reviram o quarto inteiro. Não posso ir a um café sem que ocupem a mesa vizinha e isso tem assustado as amizades que cultivei por tanto tempo. Agora, eles não querem mais ser vistos ao meu lado."*

*Perguntei-lhe de que maneira gostaria de servir à pátria. Ela me respondeu com petulância: "O senhor sabe como. Para os alemães sou H21, talvez os franceses tenham mais gosto na escolha dos nomes daqueles que servem a pátria em segredo".*

*Eu contestei de maneira que a frase tivesse duplo sentido.*

*"Todos sabemos que a senhora tem fama de ser muito cara em tudo que faz. O quanto isso vai custar?"*

*"Tudo ou nada", foi a resposta.*

*Assim que ela saiu, pedi à minha secretária que me enviasse o dossiê Mata Hari. Depois de ler todo o material coletado — e que nos tinha custado fortunas em horas de trabalho — não consegui descobrir nada de comprometedor. Pelo visto, a mulher era mais esperta que meus agentes e conseguia dissimular muito bem suas atividades nefastas.*

Ou seja, embora você fosse culpada, eles não conseguiam encontrar nada que a incriminasse. Os agentes continuavam com seus informes diários; quando você foi para Vittel junto com o namorado russo, cego pelo gás de mostarda em um dos ataques alemães, a coleção de "relatórios" beirava o ridículo.

*As pessoas no hotel costumam vê-la sempre acompanhada do inválido de guerra, possivelmente vinte anos mais jovem que ela. Pela sua exuberância e maneira de caminhar, estamos certos de que usa drogas, provavelmente morfina ou cocaína.*

*Comentou com um dos hóspedes que era da casa real holandesa. Para outro, disse que tinha um castelo em Neuilly. Certa vez, quando saímos para jantar e voltamos ao trabalho, estava cantando no salão principal para um grupo de jovens e estamos quase certos de que seu único objetivo era corromper*

*aqueles inocentes meninos e meninas que, a esta altura, sa-
biam estar diante do que julgavam ser a "grande estrela dos
palcos parisienses".*

*Quando seu amante partiu de novo para a frente de ba-
talha, ainda ficou em Vittel por duas semanas, sempre pas-
seando, almoçando e jantando sozinha. Não conseguimos de-
tectar nenhuma aproximação de um agente inimigo, mas
quem ficaria em uma estação de águas sem nenhuma companhia, exceto se não tivesse interesses escusos? Embora sob nossos olhos durante vinte e quatro horas do dia, ela deve ter
achado uma maneira de burlar nossa vigilância.*

E foi então, minha querida Mata Hari, que o golpe
mais vil de todos foi desferido. Você também estava
sendo seguida pelos alemães — mais discretos e mais
eficientes. Desde o dia de sua visita ao inspetor Ladoux, tinham chegado à conclusão de que pretendia
ser uma agente dupla. Enquanto passeava em Vittel, o
cônsul Cramer, que a havia recrutado em Haia, estava
sob interrogatório em Berlim. Queriam saber sobre os
vinte mil francos gastos com uma pessoa cujo perfil
não podia ser mais diferente do espião tradicional
— normalmente discreto e praticamente invisível.
Por que havia chamado alguém tão famoso para ajudar a Alemanha em seus esforços de guerra? Estaria
ele também mancomunado com os franceses? Como
é que, depois de tanto tempo, a agente H21 não tinha
produzido UM ÚNICO informe? Volta e meia ela era
abordada por algum agente — geralmente em meios
de transporte público — que pedia pelo menos uma

peça de informação, mas costumava sorrir de maneira sedutora dizendo ainda não ter conseguido nada.

Em Madri, porém, conseguiram interceptar uma carta que você enviou ao chefe de contraespionagem, o maldito Ladoux, na qual narra, em detalhes, um encontro com um alto oficial alemão que, finalmente, havia conseguido burlar a vigilância e aproximar-se de você.

*Ele me perguntou o que eu tinha conseguido; se havia enviado alguma comunicação em tinta invisível e se esta haveria se perdido no caminho. Disse que não. Pediu-me algum nome e comentei que tinha dormido com Alfred de Kiepert.*

*Então, em um ataque de fúria, gritou comigo, dizendo que não estava interessado em saber com quem eu dormia, ou seria obrigado a preencher páginas e páginas de ingleses, franceses, alemães, holandeses, russos. Eu ignorei a agressão, ele se acalmou e me ofereceu cigarros. Comecei a brincar com minhas pernas de maneira sedutora. Achando que estava diante de uma mulher com o cérebro do tamanho de uma ervilha, deixou escapar: "Desculpe-me por meu comportamento, estou cansado. Preciso de toda a concentração possível para organizar a chegada de munição que alemães e turcos estão enviando para a costa do Marrocos". Além disso, cobrei os cinco mil francos que Cramer ficara me devendo; ele disse que não tinha autoridade para isso e que iria pedir ao consulado alemão em Haia para encarregar-se do caso. "Sempre pagamos o que devemos", concluiu.*

As suspeitas dos alemães estavam finalmente confirmadas. Não sabemos o que aconteceu com o cônsul Cramer, mas Mata Hari era definitivamente uma agente dupla que, até então, não havia fornecido nenhuma informação semelhante. Nós temos um posto de vigilância de rádio no alto da Torre Eiffel, mas a maioria das informações que são trocadas entre eles vem de forma criptografada, impossível de ser lida. Ladoux parecia ler seus relatórios e não acreditar em nada; jamais soube se mandou alguém verificar a chegada de munição na costa do Marrocos. Mas, de repente, um telegrama enviado de Madri para Berlim em um código que eles sabiam ter sido decifrado pelos franceses foi a peça principal da acusação, embora não dissesse nada além do seu *nom de guerre*.

*AGENTE H21 FOI INFORMADA DE CHEGADA DE SUBMARINO NA COSTA DO MARROCOS E DEVE AJUDAR NO TRANSPORTE DA MUNIÇÃO ATÉ MARNE. ESTÁ EM VIAGEM PARA PARIS, ONDE CHEGARÁ AMANHÃ.*

Ladoux tinha agora todas as provas de que precisava para incriminar você. Mas não era tolo de achar que um simples telegrama seria capaz de convencer o tribunal militar de sua culpa, principalmente porque o caso Dreyfus ainda estava vivo na imaginação de todo mundo: um inocente havia sido condenado por causa de uma única peça escrita, sem assinatura e sem data. Portanto, outras armadilhas seriam necessárias.

O que fez minha defesa ser praticamente inútil? Além de juízes, testemunhas e acusadores já terem uma opinião formada, você não ajudou muito. Não posso culpá-la, mas essa propensão para a mentira que parece acompanhá-la desde que chegou a Paris fez com que fosse desacreditada em cada uma das afirmações feitas aos magistrados. A promotoria trouxe dados concretos provando que você não nasceu nas Índias Holandesas, mas que tinha sido treinada por sacerdotes indonésios, que era solteira e havia falsificado o passaporte para parecer mais jovem. Em tempos de paz, nada disso seria levado em conta, mas no Tribunal de Guerra podia-se já escutar o ruído de bombas que era trazido pelo vento.

A cada vez que eu argumentava algo como "ela procurou Ladoux assim que chegou aqui", ele contestava dizendo que seu único objetivo era conseguir mais dinheiro, era seduzi-lo com seu charme — o que demonstra uma arrogância imperdoável, porque o inspetor, baixo e com o dobro do seu peso, achava que merecia isso —, que tinha intenção de transformá-lo em uma marionete nas mãos dos alemães. Para reforçar o fato, comentou o ataque de zepelins que havia precedido sua chegada — um verdadeiro fracasso da parte dos inimigos, já que não atingiu nenhum lugar estratégico. Mas, para Ladoux, aquilo era uma prova que não podia ser ignorada.

Você era bela, conhecida mundialmente, sempre invejada — embora nunca respeitada — nos salões onde aparecia. Mentirosos, pelo pouco que sei, são pessoas que buscam popularidade e reconhecimento. Mesmo confrontados com a verdade, sempre conseguem uma maneira de escapar, repetindo friamente o que acabaram de dizer ou culpando o acusador de estar se valendo de inverdades. Entendo que você quisesse criar histórias fantásticas a respeito de si mesma, seja por insegurança ou por seu desejo quase visível de ser amada a qualquer preço. Entendo que, para manipular tantos homens que eram peritos na arte de manipular os outros, era necessário um pouco de fantasia. É imperdoável, mas é a realidade; e foi isso que a levou aonde se encontra agora.

Soube que costumava dizer que havia dormido com o "Príncipe W.", o filho do Kaiser. Tenho meus contatos na Alemanha e todos são unânimes em afirmar que sequer chegou a cem quilômetros do palácio onde ele se encontrava durante a guerra. Vangloriava-se de que conhecia muita gente do Alto Comissariado Alemão; falava isso em voz alta para que todos escutassem. Minha querida Mata Hari, que espião em sã consciência iria comentar tais barbaridades com o inimigo? Mas seu desejo de chamar a atenção das pessoas, em um momento em que sua fama estava em declínio, só fez mesmo piorar as coisas.

Entretanto, quando você estava no banco dos réus, foram eles que mentiram, mas eu defendia uma pessoa publicamente desacreditada. É absolutamente patética a lista de acusações mencionada pelo promotor, logo no início, misturando verdades que você contou com mentiras que eles resolveram entremear. Fiquei estarrecido quando me enviaram o material, no momento em que você finalmente entendeu que estava em uma situação difícil e resolveu me contratar.

Eis algumas das acusações:

1) Zelle MacLeod pertence ao serviço de inteligência alemão, onde é conhecida pela designação de H21 (*fato*);

2) esteve duas vezes na França desde o início das hostilidades, com toda certeza guiada pelos seus mentores, de modo a adquirir inteligência para o inimigo. (*Você era seguida vinte e quatro horas por dia pelos homens de Ladoux — como poderia ter feito isso?*);

3) durante sua segunda viagem, ofereceu seus serviços à inteligência francesa quando, de fato, como ficou demonstrado depois, ela dividia tudo com a espionagem alemã. (*Dois erros aí: você telefonou de Haia marcando um encontro; esse encontro aconteceu com Ladoux logo na primeira viagem, e absolutamente nenhuma prova de segredos "divididos" com a inteligência alemã foi apresentada*);

4) voltou à Alemanha sob o pretexto de recuperar as roupas que ali tinha deixado, mas retornou sem absolutamente nada e foi presa pela inteligência britânica, acusada de espionagem. Insistiu que entrassem em

contato com o dr. Ladoux, mas o mesmo se recusou a confirmar sua identidade. Sem nenhum argumento ou prova para detê-la, foi despachada para a Espanha e imediatamente nossos homens a viram se dirigindo até o consulado alemão (*fato*);

5) sob o pretexto de ter informações confidenciais, apresentou-se logo em seguida ao consulado francês em Madri, dizendo ter notícias sobre o desembarque de munição para as forças inimigas, que estava sendo feito naquele momento por turcos e alemães no Marrocos. Como já sabíamos do seu papel de agente dupla, resolvemos não arriscar nenhum homem em uma missão que tudo indicava ser uma armadilha... (???)

E por aí vai: uma série de pontos delirantes que não vale a pena enumerar, culminando com o telegrama enviado por canal aberto — ou código decifrado — de modo a queimar para sempre aquela que, segundo Cramer confessou mais tarde ao seu interrogador, tinha sido "a pior entre as péssimas escolhas de espiões para servirem a nossa causa". Ladoux chegou a afirmar que o nome H21 tinha sido inventado por você e que o verdadeiro *nom de guerre* era H44, a cujo treinamento fora submetida na Antuérpia, Holanda, na famosa escola de espiões de Fräulein Doktor Schragmüller.

Em uma guerra, a primeira vítima é a dignidade humana. Sua prisão, como disse antes, serviria para mostrar a capacidade dos militares franceses e desviar a atenção para os milhares de jovens que estavam tombando no campo de batalha. Em tempos de paz, ninguém aceitaria tais delírios como provas. Em tempo de guerra, era tudo que o juiz precisava para mandar prendê-la no dia seguinte.

Irmã Pauline, que tem servido como ponte entre nós, procura me manter atualizado sobre tudo o que acontece na prisão. Uma vez me contou, um pouco ruborizada, que pediu para ver seu álbum de recortes com tudo que saiu sobre você.

"Fui eu que pedi. Não vá julgá-la por tentar escandalizar uma simples freira."

Quem sou eu para julgar você? Mas desde esse dia resolvi também ter um álbum semelhante a seu respeito, embora não faça isso para nenhum outro cliente. Como seu caso interessa à França inteira, o que não faltam são notícias da perigosa espiã condenada à morte. Ao contrário de Dreyfus, não existe nenhum abaixo-assinado ou manifestação popular pedindo para que poupem sua vida.

Meu álbum está aberto ao meu lado, na página onde um jornal dá uma descrição detalhada do que aconteceu no dia seguinte ao julgamento, e só encontrei um erro no artigo, referente à sua nacionalidade.

IGNORANDO QUE O TERCEIRO TRIBUNAL MILITAR *estava julgando seu caso naquele mesmo momento ou fingindo que não estava preocupada com o que ocorria, já que se considerava uma mulher acima do bem e do mal, sempre informada dos passos da inteligência francesa, a espiã russa Mata Hari foi ao Ministério de Assuntos Estrangeiros pedir permissão para ir até o front encontrar seu amante, que havia sido gravemente ferido nos olhos e, mesmo assim, era obrigado a lutar. Deu como localização a cidade de Verdun, um disfarce para demonstrar que não sabia absolutamente o que estava ocorrendo no front oriental. Foi informada que os papéis em questão não haviam chegado, mas que o próprio ministro estava se encarregando disso.*

*A ordem de prisão foi dada logo no final da sessão fechada, vedada aos jornalistas. Detalhes deste processo serão conhecidos do público assim que terminar o julgamento.*

*O ministro da Guerra já havia emitido e enviado o mandado de prisão três dias antes ao governador militar de Paris — o ofício 3455-SCR 10 —, mas precisava aguardar que a acusação fosse formalizada antes que tal mandado pudesse ser executado.*

*Uma equipe de cinco pessoas, liderada pelo promotor do Terceiro Conselho de Guerra, dirigiu-se imediatamente para o* quarto 131 do Élysée Palace Hotel e encontrou a suspeita em robe de seda, ainda tomando seu café da manhã. Ao ser questionada por que fazia aquilo, alegou que tivera que acordar muito cedo e ir ao Ministério de Relações Exteriores e que naquele momento estava morta de fome.

Enquanto pediam que a acusada se vestisse, vasculharam o apartamento e encontraram vasto material, em sua maioria roupas e adereços femininos. Também ali estavam uma permissão para viajar para Vittel e uma outra para exercer trabalho remunerado no território francês, datada de 13 de dezembro de 1915.

Alegando que tudo aquilo não passava de um mal-entendido, ela exigiu que fizessem uma lista detalhada do que estavam levando para depois poder processá-los caso tudo não retornasse ao seu quarto em perfeito estado ainda naquela noite.

Apenas nosso jornal teve acesso ao que aconteceu em seu encontro com o promotor do Terceiro Conselho de Guerra, dr. Pierre Bouchardon, através de uma fonte secreta que costumava nos fornecer informações sobre o destino de pessoas infiltradas e, posteriormente, desmascaradas. Segundo essa fonte — que nos forneceu a transcrição completa —, o dr. Bouchardon entregou-lhe as acusações que pesavam sobre sua cabeça e pediu que as lesse. Quando terminou, perguntou se desejava um advogado, ao que ela negou categoricamente, respondendo apenas:

— Mas eu sou inocente! Alguém está brincando comigo, trabalho para a inteligência francesa quando me pedem algo, o que não tem ocorrido com muita frequência.

O dr. Bouchardon pediu que assinasse um documento que nossa fonte redigiu e ela o fez de bom grado. Estava convencida de que ainda naquela tarde voltaria ao conforto de seu hotel e imediatamente iria contatar seu "imenso" círculo de amizades e que terminaria por esclarecer os absurdos pelos quais estava sendo acusada.

Assim que assinou a declaração em questão, a espiã foi conduzida diretamente para a prisão de Saint-Lazare, repetindo constantemente, já à beira da histeria: "Eu sou inocente! Eu sou inocente!", enquanto nós conseguíamos uma entrevista exclusiva com o promotor.

— Nem sequer era uma mulher bonita como todos afirmavam — disse ele. — Mas sua completa falta de escrúpulos, sua completa ausência de compaixão, fez com que manipulasse e arruinasse homens, levando pelo menos um ao suicídio. A pessoa que eu tive diante de mim era uma espiã de corpo e alma.

Dali, nossa equipe seguiu até a prisão de Saint-Lazare, onde já havia outros jornalistas conversando com o diretor--geral da carceragem. Ele parecia compartilhar a opinião do dr. Bouchardon, também nossa, de que a beleza de Mata Hari já havia se desvanecido com o tempo.

— Ela continua bela apenas em suas fotos — dizia. — A vida devassa que manteve durante tanto tempo fez com que a pessoa que entrou hoje aqui tivesse olheiras imensas, cabelos que já estavam começando a descolorir nas raízes e um comportamento bastante peculiar porque não dizia nada além de "eu sou inocente!", sempre aos gritos, como se estivesse naqueles dias em que a mulher, por causa de sua natureza, não consegue controlar direito o próprio comportamento. Fico surpreso com o mau gosto de certos amigos meus que tiveram contato mais íntimo com ela.

*Isso foi confirmado pelo médico da prisão, dr. Jules Soc-quet, que, além de atestar que ela não sofria de nenhum tipo de doença, não tinha febre, sua língua não apresentava sinais de problemas estomacais, a ausculta dos pulmões e coração não mostrou nenhum sintoma suspeito, liberou-a para ser co-locada em uma das celas de Saint-Lazare, não sem antes pe-dir que as irmãs encarregadas daquela ala providenciassem um estoque de toalhas higiênicas, já que a prisioneira estava menstruando.*

E FOI ENTÃO, só depois de muitos interrogatórios nas mãos daquele que chamamos "Torquemada de Paris", que você entrou em contato comigo e fui visitá-la na prisão de Saint-Lazare. Mas já era tarde; muitos dos depoimentos dados já a tinham comprometido aos olhos daquele que, segundo metade de Paris sabia, havia sido traído pela própria esposa. Um homem assim, querida Mata Hari, é como uma fera sangrando aos olhos de todo aquele que busca vingança ao invés de justiça.

Lendo seus depoimentos antes de minha chegada, vi que estava muito mais interessada em mostrar sua importância do que em defender sua inocência. Falava de amigos poderosos, sucesso internacional, teatros lotados, quando deveria estar fazendo exatamente o oposto, mostrando que era uma vítima, um bode expiatório do capitão Ladoux, que a havia usado em sua batalha interna com outros colegas para assumir a direção geral do serviço de contraespionagem.

Quando voltava para a cela, segundo me contou irmã Pauline, chorava sem parar, passava noites em claro com medo dos ratos que infestavam aquela infame prisão, hoje em dia utilizada apenas para quebrar os ânimos dos que se julgavam fortes — como você. Dizia que o choque de tudo isso iria terminar por enlouquecê-la antes do julgamento. Mais de uma vez pediu para ser internada, já que estava praticamente confinada em uma cela solitária, sem contato com ninguém, e o hospital da prisão, por menos recursos que tivesse, ao menos iria permitir que conversasse com alguém.

Enquanto isso, seus acusadores começavam a se desesperar, porque não tinham encontrado entre seus pertences nada que a incriminasse; o máximo que acharam foi uma bolsa de couro com vários cartões de visita. Bouchardon mandou entrevistar um por um daqueles cavalheiros respeitáveis que, durante anos, viveram implorando por sua atenção e todos eles negaram qualquer contato mais íntimo com você.

Os argumentos do promotor, dr. Marnet, chegavam a beirar o patético. Em determinado momento, na falta de provas, alegou:

*Zelle é o tipo de mulher perigosa que vemos hoje em dia. A facilidade com que se expressa em diversas línguas, especialmente o francês, suas numerosas relações em todas as áreas, sua maneira sutil de insinuar-se em rodas sociais, sua elegância, sua inteligência notável, sua imoralidade, tudo isso colabora para que seja vista como uma suspeita em potencial.*

Curiosamente, até mesmo o inspetor Ladoux acabou testemunhando por escrito a seu favor; não tinha absolutamente nada para mostrar ao "Torquemada de Paris". E complementou:

*É evidente que ela estava a serviço de nossos inimigos, mas é necessário prová-lo e não tenho nada comigo para confirmar esta afirmação. Se o senhor deseja provas indispensáveis para o interrogatório, melhor dirigir-se ao Ministério da Guerra, que detém a custódia desses documentos. De minha parte, estou convencido de que uma pessoa que pode viajar durante o tempo em que vivemos e ter contato com tantos oficiais já é prova o bastante, mesmo que não haja nada por escrito ou não seja um tipo de argumentação admitida em tribunais de guerra.*

ESTOU TÃO CANSADO QUE CHEGOU UM MOMENTO de confusão mental; penso que estou escrevendo esta carta para você, que lhe entregarei e ainda teremos tempos juntos para olhar para o passado, com as feridas cicatrizadas, e poder, quem sabe, apagar tudo isso de nossa memória.

Mas, na verdade, escrevo para mim mesmo, para me convencer de que fiz todo o possível e o imaginável; primeiro tentando tirá-la de Saint-Lazare; depois, lutando para salvar sua vida e, finalmente, tendo a possibilidade de escrever um livro contando a injustiça da qual foi vítima pelo pecado de ser mulher, pelo pecado maior de ser livre, pelo imenso pecado de desnudar-se em público, pelo perigoso pecado de relacionar-se com homens cuja reputação precisava ser mantida a qualquer custo. Isso só seria possível caso você desaparecesse para sempre da França ou do mundo. Não adianta ficar aqui descrevendo nas cartas emoções que enviei para Bouchardon, minhas tentativas de encontrar-me com o cônsul da Holanda e tampouco a lista de erros de Ladoux. Quando a investigação ameaçou parar por falta de provas, ele informou ao governador militar de Paris que estava de posse de vários telegramas alemães — num total de vinte e um documentos — que comprometiam você até a alma. E o que diziam esses telegramas? A verdade: que você procurou Ladoux quando chegou a Paris, que foi paga por seu trabalho, que exigiu mais dinheiro, que tinha amantes nos altos círculos, mas NADA, absolutamente nada que contivesse qualquer informação confidencial de nosso trabalho ou do movimento de nossas tropas.

Infelizmente não pude assistir a todas as suas conversas com Bouchardon, porque a criminosa "lei de segurança nacional" havia sido promulgada e, em muitas sessões, os advogados de defesa não eram admitidos. Uma aberração jurídica sempre justificada em nome da "segurança da pátria". Mas tinha amigos em altos escalões e soube que você questionou severamente o capitão Ladoux, dizendo que havia acreditado na sinceridade dele quando lhe ofereceu dinheiro para trabalhar como agente dupla e para espionar em favor da França. Àquela altura, os alemães sabiam exatamente o que aconteceria com você e também sabiam que tudo o que podiam fazer era comprometê-la ainda mais. Mas, ao contrário do que acontecia em nosso país, já haviam esquecido a agente H21 e estavam concentrados em deter a ofensiva aliada com aquilo que realmente conta: homens, gás de mostarda e pólvora.

Sei da reputação da prisão onde irei visitá-la pela última vez esta madrugada. Um antigo leprosário, depois hospício, transformado em lugar de detenção e execução durante a Revolução Francesa. A higiene é praticamente inexistente, as celas não são ventiladas, as doenças se propagam através do ar fétido que não tem por onde circular. É habitada basicamente por prostitutas e gente que a família, através de contatos, quer que se afaste da convivência social. Serve também de estudo para médicos interessados no comportamento humano, apesar de já ter sido denunciada por um deles:

*Essas jovens são de grande interesse para a medicina e para os moralistas — pequenas criaturas indefesas que, por causa de brigas de herdeiros, são enviadas para cá com idade de até sete ou oito anos, sob o pretexto de "correção paternal", passando a infância cercadas de corrupção, prostituição e doenças, até que, ao serem liberadas com dezoito, vinte anos, já não têm mais vontade de viver ou retornar para casa.*

Pelo visto, está havendo uma verdadeira revolução entre as mulheres. Recentemente foi presa mais uma delas, chamada de "lutadora pelos direitos femininos". E o que é pior, de "pacifista", "derrotista", "antipatriota". As acusações contra Hélène Brion, a prisioneira a quem me refiro, são muito parecidas com as suas: receber dinheiro da Alemanha, corresponder-se com soldados e fabricantes de munição, chefiar sindicatos, ter controle de trabalhadores e publicar jornais clandestinos afirmando que as mulheres têm os mesmos direitos que os homens. Em breve, ela deverá ser enviada para a mesma prisão de Saint-Lazare.

O destino de Hélène será provavelmente igual ao seu, embora eu tenha minhas dúvidas, porque é de nacionalidade francesa, tem amigos influentes em jornais e não usou a arma mais condenada por todos os moralistas que neste momento fazem de você uma das favoritas a habitar o Inferno de Dante: a sedução. Madame Brion veste-se como homem e tem orgulho disso. Além do mais, foi julgada traidora pelo Primeiro Conselho de Guerra, que tem um histórico mais justo que o tribunal comandado por Bouchardon.

Caí no sono sem me dar conta. Acabo de olhar o relógio e faltam apenas três horas para estar nesta prisão maldita, em nosso último encontro. Impossível dizer tudo que aconteceu desde que você me contratou contra a sua vontade, porque achava que a inocência era o suficiente para livrá-la da malha de um sistema jurídico do qual sempre nos orgulhamos, mas que nestes tempos de guerra se tornou uma aberração da Justiça.

Fui até a janela. A cidade está adormecida, exceto por grupos de soldados vindos da França inteira, que passam cantando em direção à Gare de Austerlitz sem saber o destino que os aguarda. Os boatos não deixam ninguém descansar direito. Hoje pela manhã diziam que tínhamos empurrado os alemães para além de Verdun; durante a tarde algum jornal alarmista disse que batalhões turcos estão desembarcando na Bélgica e seguindo em direção a Estrasburgo, de onde virá o ataque final. Vamos da euforia ao desespero várias vezes por dia.

Impossível contar tudo que aconteceu desde o dia 13 de fevereiro, quando você foi presa, até o dia de hoje, quando enfrentará o pelotão de fuzilamento. Deixaremos que a história faça justiça a mim, ao meu trabalho. Talvez algum dia a história também faça justiça a você, embora eu duvide. Você não foi apenas uma pessoa acusada injustamente de espionagem, mas foi alguém que ousou desafiar certos costumes, o que é imperdoável.

No entanto, bastaria uma página para resumir o que aconteceu: tentaram traçar a origem de seu dinheiro e logo essa parte foi selada como "secreta", porque chegaram à conclusão de que muitos homens em alta posição seriam comprometidos. Os antigos amantes, sem nenhuma exceção, todos negaram conhecê-la. Até mesmo o russo pelo qual você estava apaixonada e disposta a ir até Vittel, mesmo que isso implicasse suspeitas e riscos, apareceu com um olho ainda vendado e leu em língua francesa seu texto de deposição, uma carta que foi lida no tribunal, com o único objetivo de humilhá-la em público. As lojas onde você fazia compras foram colocadas sob suspeita e vários jornais fizeram questão de publicar seus débitos não pagos, apesar de você garantir o tempo todo que seus "amigos" haviam se arrependido dos presentes que lhe haviam dado e, subitamente, desapareceram sem saldar nada.

Os juízes foram obrigados a escutar de Bouchardon frases do tipo: "Na guerra dos sexos, todos os homens, por mais peritos que sejam em muitas artes, são sempre facilmente derrotados". E conseguiu fazer com que outras pérolas fossem ouvidas, como: "Em uma guerra, o simples contato com um cidadão de um país inimigo já é suspeito e condenável". Escrevi para o consulado holandês pedindo que me enviassem algumas roupas que haviam sido deixadas em Haia, de modo que pudesse se apresentar dignamente diante do tribunal. Mas, para minha surpresa, apesar dos artigos que saíam com certa frequência nos jornais de sua pátria, o governo do reino da Holanda só foi notificado do julgamento no dia em que o mesmo começou. De qualquer maneira, em nada teriam ajudado; temiam que isso afetasse a "neutralidade" do país.

Quando a vi entrando no tribunal — em 24 de julho —, estava com os cabelos desalinhados, a roupa descolorida, mas com a cabeça erguida e o passo firme, como se tivesse aceitado seu destino, recusando a humilhação pública que queriam lhe impor. Havia entendido que a batalha chegara ao fim e só lhe restava partir com dignidade. Dias antes, o marechal Pétain mandara executar um sem-número de soldados, acusados de traição, porque haviam se recusado a um ataque frontal contra as metralhadoras alemãs. Os franceses viram na sua postura diante dos juízes uma maneira de desafiar as mortes e...

Basta. Não adianta ficar pensando sobre algo que, tenho certeza, me perseguirá pelo resto de minha vida. Eu lamentarei sua partida, esconderei minha vergonha por ter errado em algum ponto obscuro ou por pensar que a justiça de guerra é a mesma dos tempos de paz. Carregarei essa cruz comigo, mas, para tentar curar qualquer ferida, é preciso parar de coçar o lugar infectado.

Entretanto, seus acusadores carregarão cruzes muito mais pesadas. Embora hoje riam e se cumprimentem entre eles, virá o dia em que toda essa farsa será desmascarada. Mesmo que isso não ocorra, eles sabem que condenaram alguém inocente porque precisavam distrair o povo, da mesma maneira que nossa revolução, antes de trazer a igualdade, a fraternidade e a liberdade, precisou colocar a guilhotina em praça pública para entreter com sangue aqueles para os quais ainda faltava pão. Eles amarraram um problema no outro, achando que terminariam encontrando uma solução, mas o que fizeram foi criar uma pesada corrente de aço indestrutível, corrente essa que terão que arrastar pela vida inteira.

\* \* \*

Existe um mito grego que sempre me fascinou, e que — penso — resume sua história. Era uma vez uma linda princesa, admirada e temida por todos porque parecia ser independente demais. Seu nome era Psique.

Desesperado porque ia terminar com uma filha solteira, seu pai recorreu ao deus Apolo, que decidiu resolver o problema: ela devia ficar só, vestida de luto, no alto de uma montanha. Antes do amanhecer, uma serpente viria para casar-se com ela. Curioso porque, na sua foto mais famosa, você está com esta serpente na cabeça.

Mas voltemos ao mito: o pai fez o que Apolo mandara e para o alto da montanha ela foi enviada; apavorada, morrendo de frio acabou por dormir, certa de que iria morrer.

Entretanto, no dia seguinte, despertou em um lindo palácio, convertida em rainha. Toda noite encontrava-se com seu marido, mas ele exigia que obedecesse a uma única condição: confiar totalmente nele e jamais ver seu rosto.

Depois de alguns meses juntos, ela estava apaixonada por ele, cujo nome era Eros. Adorava as conversas, tinha imenso prazer em fazer amor e era tratada com todo o respeito que merecia. Ao mesmo tempo, temia estar casada com uma serpente horrível.

Certo dia, não conseguindo mais controlar sua curiosidade, esperou que o marido dormisse, moveu delicadamente o lençol e com a luz de uma vela pôde ver o rosto de um homem de incrível beleza. Mas a luz o despertou, e, entendendo que sua mulher não tinha sido capaz de ser fiel ao seu único pedido, Eros desapareceu.

Cada vez que me lembro desse mito me pergunto: jamais poderemos ver o verdadeiro rosto do amor? E entendo o que os gregos queriam dizer com isso: o amor é um ato de fé em outra pessoa e seu rosto deve estar sempre coberto pelo mistério. Cada momento deve ser vivido com sentimento e emoção porque se tratamos de decifrá-lo e de entendê-lo, a magia desaparece. Seguimos seus caminhos tortuosos e luminosos, nos deixamos ir ao mais alto da terra ou ao mais profundo dos mares, mas confiamos na mão que nos conduz. Se não nos deixamos assustar, despertaremos sempre em um palácio; se tememos os passos que serão exigidos pelo amor e queremos que nos revele tudo, o resultado é que não conseguiremos mais nada.

E penso, minha adorada Mata Hari, que esse foi o seu erro. Depois de anos na montanha gelada, terminou por descrer totalmente do amor e resolveu transformá-lo em seu servo. O amor não obedece a ninguém e trai apenas aqueles que tentam decifrar seu mistério.

Hoje você é prisioneira do povo francês e, assim que o sol se levantar, estará livre. Seus acusadores continuarão precisando empurrar, com cada vez mais força, os grilhões que eles forjaram para justificar sua morte e que terminaram por agarrar-se aos seus pés. Os gregos têm uma palavra cheia de significados contraditórios: *metanoia*. Às vezes, quer dizer arrependimento, contrição, confissão dos pecados, promessa de não repetir o que fizemos errado.

Por outras vezes, significa ir além do que sabemos, estar frente a frente com o desconhecido, sem lembrança ou memória, sem entender como será dado o próximo passo. Estamos presos à nossa vida, ao nosso passado, às leis daquilo que consideramos certo ou errado e, de repente, tudo muda. Caminhamos sem medo pelas ruas e cumprimentamos nossos vizinhos, mas momentos depois eles não são mais nossos vizinhos, colocaram cercas e arames de modo a não podermos mais ver as coisas como eram antes. Assim será comigo, com os alemães, mas, sobretudo, com os homens que resolveram achar mais fácil deixar morrer uma inocente do que reconhecer os próprios erros.

Pena que o que acontece hoje já aconteceu ontem e tornará a acontecer amanhã; e assim continuará a acontecer até o final dos tempos ou até que o homem descubra que ele não é apenas o que pensa, mas principalmente é aquilo que sente. O corpo cansa com facilidade, mas o espírito está sempre livre e nos ajudará a sair, um dia, desta roda infernal de repetir os mesmos erros a cada geração. Embora os pensamentos sempre permaneçam os mesmos, existe algo que é mais forte do que eles e isto se chama Amor.

Porque quando amamos de verdade, conhecemos melhor os outros e a nós mesmos. Já não precisamos de palavras, documentos, atas, depoimentos, acusações e defesas. Precisamos apenas daquilo que diz o Eclesiastes:

*No lugar da justiça havia impiedade, no lugar da retidão havia ainda mais impiedade. Mas Deus julgará a todos, o justo e o ímpio, Deus julgará ambos, pois há um tempo para todo propósito, um tempo para tudo o que acontece.*

Que assim seja. Vá com Deus, minha amada.

# EPÍLOGO

# WOMAN DANCER SHOT BY FRENCH AS SPY

## Mlle. Mata-Hari Suffers Penalty for Betraying Secret of 'Tanks' to Germans.

PARIS, Oct. 15.—Mata-Hari, the Dutch dancer and adventuress, who, two months ago, was found guilty by a court-martial on the charge of espionage, was shot at dawn this morning.

The condemned woman, otherwise known as Marguerite Gertrude Zelle, was taken in an automobile from St. Lazaire prison to the parade ground at Vincennes, where the execution took place. Two sisters of Charity and a priest accompanied her.

No dia 19 de outubro, quatro dias depois da execução de Mata Hari, seu principal acusador, o inspetor Ladoux, foi acusado de espionagem para os alemães e encarcerado. Apesar de alegar inocência, foi insistentemente questionado pelos serviços de contraespionagem prestados aos franceses, embora a censura governamental — legalizada durante o período do conflito — tenha impedido que o fato vazasse para os jornais. Alegou em sua defesa que as informações tinham sido plantadas pelo inimigo:

— Não é minha culpa que meu trabalho terminou me deixando exposto a todo e qualquer tipo de intriga, enquanto os alemães coletavam dados que eram fundamentais para a invasão do país.

Em 1919, um ano depois do final da guerra, Ladoux acabou sendo solto, mas sua reputação de agente duplo o acompanhou até o túmulo.

O corpo de Mata Hari foi enterrado em uma cova rasa, jamais localizada. Segundo os costumes da época, sua cabeça foi decepada e entregue aos representantes do governo. Durante anos ficou guardada no Museu de Anatomia, na Rue de Saint-Pères, em Paris, até que, não se sabe exatamente em qual data, desapareceu da instituição. Os responsáveis deram falta apenas no ano 2000, embora se acredite que a cabeça de Mata Hari tenha sido roubada muito antes.

Em 1947, o promotor André Mornet, a esta altura publicamente denunciado como um dos juristas que fundamentaram os processos para retirar as "naturalizações apressadas" dos judeus em 1940, e grande responsável pela condenação à morte daquela a quem afirmava ser "a Salomé dos tempos modernos, cujo único objetivo é entregar aos alemães a cabeça dos nossos soldados", confidenciou ao jornalista e escritor Paul Guimard que todo o processo foi baseado em deduções, extrapolações e suposições, concluindo com a frase:

"Aqui entre nós, a evidência que tínhamos
era tão insuficiente que não serviria
nem sequer para castigar um gato."

# NOTA DO AUTOR

143727

*Reply should be addressed to H.M.
Inspector under the Aliens Act,
Home Office, London, S.W., and
the following reference quoted :—*

**HOME OFFICE.**

W.O. 1,101

SECRET
140,193/M.I.5.E.

15th December 1916.

To the Aliens Officer.

### Z E L L E, Margaretha Geertruida

Dutch actress, professionally known as MATA HARI.

The mistress of Baron E. VAN DER CAPELLAN, a Colonel in a Dutch Hussar Regiment.  At the outbreak of war left Milan, where she was engaged at the Scala Theatre, and travelled through Switzerland and Germany to Holland.  She has since that time lived at Amsterdam and the Hague.  She was taken off at Falmouth from a ship that put in there recently and has now been sent on from Liverpool to Spain by s.s. "Araguaga", sailing December 1st.

Height 5'5", build medium, stout, hair black, face oval, complexion olive, forehead low, eyes grey-brown, eyebrows dark, nose straight, mouth small, teeth good, chin pointed, hands well kept, feet small, age 39.

Speaks French, English, Italian, Dutch, and probably German.  Handsome bold type of woman.  Well dressed.

If she arrives in the United Kingdom she should be detained and a report sent to this office.

Former circulars 61207/M.O.5.E. of 9th December, 1915 and 74194/M.I.5.E. of 22nd. February, 1916 to be cancelled.

W. HALDANE PORTER.

H.M. Inspector under the Aliens Act.

Copies sent to Aliens Officers at "Approved Ports" four Permit Offices, Bureau de Controle, New Scotland Yard and War Office (M.I. 5(e)).

EMBORA TODOS OS FATOS DESTE LIVRO tenham acontecido, fui obrigado a criar alguns diálogos, fundir certas cenas, alterar a ordem de uns poucos eventos e eliminar tudo aquilo que julguei não ser relevante para a narrativa. Este livro não tem a menor intenção de ser uma biografia de Margaretha Zelle.

Para quem desejar conhecer melhor a história de Mata Hari, recomendo o excelente livro de Pat Shipman *Femme fatale: Love, Lies, and the Unknown Life of Mata Hari* (HarperCollins, 2007); Philippe Collas, *Mata Hari, Sa veritable histoire* (Plon, Paris, 2003) — Collas é bisneto do dr. Pierre Bouchardon, um dos personagens do livro, e teve acesso a material completamente inédito; Frédéric Guelton, "Le dossier Mata Hari", *Revue historique des armées*, n. 247 (2007); Russell Warren Howe, "Mournful fate of Mata Hari, the spy who wasn't guilty", Smithsonian Institution, ref. 4224553 — entre muitos outros artigos que utilizei para a pesquisa.

O *Dossiê Mata Hari*, escrito pelo serviço de inteligência britânica, foi tornado público em 1999 e pode ser acessado na minha página web em sua íntegra, ou comprado diretamente do The National Archives do Reino Unido, referência kv-2-1.

Quero agradecer ao meu advogado, dr. Shelby du Pasquier, e seus associados, por esclarecimentos importantes sobre o julgamento; Anna von Planta, minha editora suíço-alemã, pela rigorosa revisão histórica — embora precisemos levar em conta que a personagem principal tinha uma tendência a fantasiar os fatos; Annie Kougioum, amiga e escritora grega, pela ajuda nos diálogos e na costura da história.

Este livro é dedicado a J.

As legendas das fotografias deste livro:

p. 13   Cena do fuzilamento de Mata Hari, em filme mudo biográfico do início da década de 1920.

p. 23   Fotografia do casamento de Margaretha Zelle MacLeod e Rudolf MacLeod, em 1895.

p. 59   Mata Hari, em foto de 1906.

p. 135   Fotografia de Mata Hari feita para a ficha da polícia francesa, em 14 de fevereiro de 1917.

p. 171   Reprodução da notícia do fuzilamento de Mata Hari, publicada no *The New York Times*.

p. 177   Página do dossiê sobre Mata Hari produzido pelo serviço de inteligência britânico durante a Primeira Guerra Mundial, que ressalta sua beleza, sua elegância e a quantidade de línguas que falava. O documento diz que ela deveria ser presa "se chegasse ao Reino Unido".

# SOBRE O AUTOR

Paulo Coelho nasceu em 1947, no Rio de Janeiro. Antes de se dedicar à literatura, foi diretor de teatro, dramaturgo, jornalista e compositor. É autor do clássico *O Alquimista*, livro brasileiro mais vendido de todos os tempos, há mais de quatrocentas semanas na lista de best-sellers do New York Times. Grande fenômeno literário internacional, tem sua obra publicada em mais de 170 países e traduzida para 81 idiomas. Juntos, seus livros já venderam mais de 210 milhões de exemplares.

Entre os inúmeros prêmios e condecorações que recebeu ao longo da carreira estão o Crystal Award, do Fórum Econômico Mundial, e o prestigioso título de *chevalier de l'ordre national de la Légion 'honneur*. Desde 2002 é membro da Academia Brasileira de Letras e, em 2007, tornou-se Mensageiro da Paz das Nações Unidas.

TIPOGRAFIA Adriane por Marconi Lima
DIAGRAMAÇÃO Osmane Garcia Filho
PAPEL Pólen Natural, Suzano S.A.
IMPRESSÃO Bartira, abril de 2023

A marca FSC® é a garantia de que a madeira utilizada na fabricação do papel deste livro provém de florestas que foram gerenciadas de maneira ambientalmente correta, socialmente justa e economicamente viável, além de outras fontes de origem controlada.